LA CHAIR

BIBLIOTHÈQUE HISPANIQUE

DU MÊME AUTEUR
CHEZ LE MÊME ÉDITEUR

Le Territoire des barbares, 2002

La Folle du logis, 2004

La Fille du cannibale, 2006

Le Roi transparent, 2008

Instructions pour sauver le monde, 2010

Belle et sombre, 2011

Des larmes sous la pluie, 2013

L'Idée ridicule de ne plus jamais te revoir, 2015

Le Poids du cœur, 2016

Rosa MONTERO

LA CHAIR

Traduit de l'espagnol
par Myriam Chirousse

Éditions Métailié
20, rue des Grands Augustins, 75006 Paris
www.editions-metailie.com
2017

Retrouvez-nous sur les réseaux sociaux :

Titre original : *La Carne*

ISBN : 979-10-226-0540-3
ISSN : 1264-3238

À Isabel Oliart, pour tout, en cadeau
pour un anniversaire tout rond

La vie est un petit espace de lumière entre deux nostalgies : celle de ce que vous n'avez pas encore vécu et celle de ce que vous n'allez plus pouvoir vivre. Et l'instant précis de l'action est si confus, si fuyant et si éphémère que vous le gaspillez à regarder autour de vous avec hébétude.

En cette fin de nuit d'octobre, cependant, Soledad était bien plus furieuse qu'hébétée. Trop de colère c'est comme trop d'alcool, cela produit une intoxication qui vous fait perdre la lucidité et le discernement. Les neurones grillent, la raison cède la place à l'obnubilation et une seule pensée occupe la tête : vengeance, vengeance, vengeance. Enfin, peut-être une pensée et un sentiment : vengeance et douleur, vengeance et beaucoup de douleur.

Impossible de penser à se coucher dans cet état, malgré un rendez-vous très important à la bibliothèque à neuf heures du matin. Dans ces conditions d'incendie mental, le lit ne faisait qu'aggraver la situation. L'obscurité des nuits était remplie de monstres, en effet, comme Soledad le craignait et le soupçonnait dans son enfance ; et les ogres se nommaient obsessions. Elle poussa un soupir qui gronda comme un rugissement et cliqua encore une fois sur le lien. La page s'ouvrit à nouveau, un graphisme élégant dans les gris et mauve. Elle chercha l'onglet qui disait "Galerie" et entra. Les trois premiers garçons apparurent à l'écran ; une photo de chaque et une description succincte, le prénom, l'âge, la taille, le poids, la couleur des cheveux et des yeux, la condition physique. Athlétique. Ils disaient tous athlétique, même ceux qui semblaient avoir un peu d'embonpoint. Sur la première photo, presque tous étaient habillés ; mais lorsque vous cliquiez sur les images, deux ou trois autres clichés de chaque homme apparaissaient, dont un généralement avec le torse nu et la ceinture du pantalon plutôt tombante, laissant voir quelques centimètres de peau tendue et tentante sous le nombril. Certains, plus audacieux, s'affichaient entièrement nus, mais, dans ce cas, allongés à plat ventre et entourés d'ombres, montrant juste le dôme parfait de leurs fesses. Il s'agissait d'assez bonnes photos dans l'ensemble, faites avec un certain goût. On voyait que c'était un site cher. AuPlaisirDesFemmes.com. C'étaient des gigolos, des escorts. Des prostitués masculins. Le service minimum, deux heures, coûtait trois cents euros, hôtel compris. Les femmes se retrouvaient perdantes, comme toujours, rumina Soledad : les gigolos coûtaient plus chers que les putes.

Elle réexamina la galerie avec attention. Il y avait quarante-neuf hommes, l'immense majorité dans la trentaine, quelques-uns la vingtaine, deux ou trois de plus de quarante ans. Plusieurs noirs. On ne pouvait pas dire que les garçons étaient laids ; en fait, presque tous répondaient au modèle standard de l'homme jeune, fort et les traits réguliers. Mais, à l'exception d'un ou deux, ils ne lui plaisaient pas. Les plus beaux lui faisaient l'effet de mannequins en plastique, retouchés et pomponnés, sans expression ni personnalité. Et elle trouvait aux moins bien lotis de terribles têtes de brutes. Il est vrai que Soledad avait toujours été difficile à contenter : son désir était exigeant, pointilleux et tyrannique. Quoi qu'il en soit, elle n'avait même pas à désirer le gigolo. Elle cherchait simplement quelqu'un ayant un physique renversant. Un accompagnateur spectaculaire qui rendrait Mario jaloux. Ou, du moins, sans être jaloux, qu'il voie qu'elle se débrouillait très bien sans lui. Elle imagina un instant la scène à l'opéra. Par exemple : elle, entrant au Teatro Real accompagnée par le canon et tombant sur Mario et sa femme dans le hall ; et elle, sereine, légère, imperturbable, laissant glisser sur son ancien amant un regard hautain et glacé ; certes, regarder de haut une personne qui mesurait dix centimètres de plus qu'elle allait être compliqué, mais, dans son imagination, Soledad parvenait à régler à la perfection cette géométrie du mépris. Autre exemple : elle, assise dans un fauteuil d'orchestre, lui péniblement incrusté avec sa femme deux rangées derrière, et Soledad entièrement dévouée au magnifique garçon, tout sourire et lumière dans les yeux, l'image parfaite du bonheur. Elle dirait à l'escort de lui passer de temps à autre son bras sur les épaules, de faire preuve de tendresse, le tout très subtilement, sans même se donner un baiser, l'insinuation élégante de la chair était beaucoup plus cuisante. Ou par exemple ! Et si, à l'entrée ou à la sortie, ils tombaient nez à nez et qu'il n'y ait pas d'autre solution que de se saluer ? Et si, dans sa nervosité, Mario lui présentait sa femme ? Sa femme enceinte. Avec une chose dans le ventre. Encore petite, imperceptible dans le profil de cette jeune femme probablement belle, mais qui palpitait en dedans, une petite chose pleine de vie accrochée avec ses petits ongles transparents au placenta ou aux parois tuméfiées de l'utérus ou là où ces foutues petites choses veulent bien se cramponner. Eh bien, si Mario la saluait et lui présentait cette Daniela, Soledad sourirait dans la plénitude de la félicité et lui présenterait… Rubén, Francis, Jorge ? Elle n'avait pas encore décidé quel gigolo engager.

Elle examina une fois de plus la galerie. En réalité, presque aucun ne faisait l'affaire. Ils avaient tous une allure légèrement déplacée. La plupart étaient un peu vulgaires, avec des airs de beaux gosses de discothèque ou de bêtes de salle de sport. Enfin, pas du tout adaptés à ce qu'elle voulait. Parce que Mario était… Il était tellement séduisant, tellement viril, avec son corps merveilleux et ses yeux verts. Informaticien, quarante ans. D'une élégance naturelle. D'une intelligence naturelle. Pas trop cultivé, mais assoiffé de savoir. Une éponge. Par exemple, il s'était mis à aimer l'opéra avec elle. Soledad avait développé son goût musical. Durant l'année et quelque où ils avaient été ensemble, elle lui avait offert plusieurs CD, des enregistrements mémorables et exquis. Et aujourd'hui il la trahissait comme ça. Avec l'autre. Avec sa femme.

"Nick. 34 ans. 1 mètre 87, cheveux bruns, yeux bleus, athlétique, parle espagnol, anglais et catalan."

Des pectoraux splendides et un abdomen succulent offert à travers sa chemise déboutonnée, mais... et ces petits yeux au regard obtus, cette mèche épouvantable sculptée avec un gel tellement fort qu'au lieu d'une coiffure on aurait plutôt dit un nid d'hirondelle ?

Mais ce qui était vraiment impardonnable, ce qui avait fait éclater sa fureur, c'est qu'il s'agissait de *Tristan et Iseult*. La première fois qu'ils avaient fait l'amour, cela s'était passé chez Soledad en milieu d'après-midi (les relations avec les hommes mariés se consomment toujours à des heures inhabituelles, le matin, à midi, à l'heure de la sieste, rarement la nuit), et elle, bien sûr, elle avait agrémenté leur rendez-vous en mettant de la musique. L'iPod fonctionnait en mode aléatoire, et juste quand Mario et Soledad se lançaient dans l'assaut final, juste quand leurs jambes s'enlaçaient avec une avidité presque douloureuse et qu'ils avalaient en respirant le souffle de l'autre ; juste quand le cœur de son amant résonnait dans sa poitrine et que leurs ventres devenaient des ventouses humides, juste à ce moment-là, donc, le chant bouleversant d'Iseult, son *Liebestod*, sa Mort d'Amour, l'aria final du troisième acte et de l'opéra tout entier, avait retenti. Et Soledad avait d'abord pensé : ah, quel désastre, maintenant ça ne va pas, c'est trop grandiose, trop difficile, ça va nous sortir de la situation ; mais elle ne l'avait pensé qu'une demi-seconde, car elle était concentrée sur ses sensations et sur sa peau, impossible désormais à distinguer de la peau de l'autre. Et ils avaient alors continué d'avancer et de s'enfoncer de plus en plus, ils avaient continué de galoper et de brûler, et la musique avait également brûlé et avancé, la musique les avait accompagnés dans ce crescendo d'une furieuse beauté, et lorsque tout avait explosé en même temps, musique et chair, une supernova avait réduit la chambre en cendres et détruit la planète.

Quelques éons plus tard, les survivants de l'apocalypse avaient recommencé à bouger prudemment. Mario avait relevé la tête avec difficulté, ses yeux verts tellement assombris qu'ils en paraissaient noirs, et il avait demandé dans un murmure ahuri :

– C'était… quoi… ce… truc… si… impressionnant ?

C'était la mort d'amour d'Iseult, le premier morceau d'opéra que Mario écoutait de sa vie, du moins le premier qu'il écoutait avec le cœur. Et il l'avait aimé. Peut-être que le lecteur pensera que Wagner ne semble pas la musique la plus appropriée pour un rapport sexuel, qu'elle est trop dense pour la légèreté vertigineuse du désir et trop sublime pour la grossièreté torride des corps et le clapotis des humeurs ; et je dois reconnaître que Soledad, comme nous l'avons vu, craignit elle-même que ce soit le cas ; mais elle soutient désormais avec énergie face au monde (car Soledad a l'habitude d'entretenir d'intenses conversations avec le monde, parfois intérieures et aussi à l'occasion à haute voix, en d'autres termes elle parle toute seule) que ce *Liebestod* est la musique la plus majestueusement érotique que l'on puisse imaginer, et que, si vous n'avez jamais fait l'amour sur du Wagner, vous êtes à coup sûr en train de passer à côté de quelque chose de formidable.

Le fait est que la rupture avec Mario avait été difficile mais, d'un autre côté, compréhensible. Comme dans toutes les relations de Soledad, la fin était à l'horizon dès le premier instant. Ils s'étaient écrit de tendres lettres d'adieu, ils s'étaient dit de jolies choses, Soledad avait beaucoup pleuré et elle avait voulu mourir pendant plusieurs jours. Somme toute, rien d'anormal. Deux mois plus tard, Soledad avait appris que Daniela était enceinte. Cela fit mal. Sans doute était-ce à cause de cela qu'ils avaient rompu. Mais ce n'était pas non plus surprenant, Soledad le savait, elle savait depuis toujours que Mario voulait avoir des enfants. Ce n'était pas nouveau, s'était-elle répété, en essayant de dompter la bête féroce à l'intérieur d'elle. Un autre mois agité s'était écoulé et deux dates fatidiques approchaient dangereusement :

son anniversaire et la représentation de *Tristan et Iseult* au Teatro Real, pour laquelle elle avait pris deux entrées longtemps auparavant. Dans un moment de faiblesse, elle avait envoyé un stupide WhatsApp à Mario : "Je te manque un peu au moins ? J'ai des entrées pour *Tristan et Iseult* au Real le 2, mais je ne sais pas si j'aurai la force d'y aller." Ce à quoi il avait répondu : "Moi aussi j'ai pris des entrées pour l'opéra le 2."

Ce fut comme si on lui tranchait la tête avec une hache. Un geste fulminant de bourreau. Après la première douleur, vive et inattendue, un raz-de-marée de fureur l'avait emportée. Il n'allait donc même pas lui rester ça ? Cette musique, qui était l'emblème le plus profond de l'intimité qu'ils avaient partagée, serait elle aussi inévitablement souillée, blessée, déglutie et accaparée par la future parturiente ? "Tiens donc, tu y vas avec Daniela ? Alors on se verra là-bas", avait-elle répondu. Et elle savait qu'elle lui jetait le gant d'un duel.

Depuis ce jour, donc, Soledad n'avait fait que ruminer sa rage et préparer ses armes pour la rencontre. Comme elle n'avait pas d'ami assez beau avec lequel y aller (en réalité, et faisant honneur à son prénom, Soledad* avait très peu d'amis), elle avait décidé d'avoir recours à un professionnel. L'escort serait son pistolet. Une métaphore idéalement phallique.

"Adam. 32 ans. 1 mètre 91, cheveux noirs, yeux couleur miel, athlétique, parle espagnol, anglais et français."

Soledad soupira. Celui-là oui, celui-là ferait l'affaire. Si pour de bon elle osait franchir le pas, ce serait avec lui. Plus elle le regardait, plus il lui plaisait. Avec la coïncidence curieuse qu'il ressemblait même assez à Mario : la même chevelure noire et courte, un peu ondulée, abondante ; le même visage fin aux lèvres minces, aux pommettes marquées, aux mâchoires puissantes. Des mains aux doigts longs, merveilleuses. Des yeux noisette, une couleur plus

* "Solitude" en espagnol. (*Toutes les notes sont de la traductrice.*)

banale que le vert de Mario, mais profonds, beaux. Et ces épaules larges et rondes, cette taille étroite, ce torse épilé, lisse comme un tambour. Il avait une allure formidable de pianiste romantique croisé avec un trapéziste musclé. Un air élégant, intéressant, un peu ténébreux. Il était plus beau que Mario.

Bon, il fallait qu'elle se décide, soupira-t-elle. Elle était nerveuse. Mais il fallait qu'elle se décide car le jour de l'opéra arrivait à grands pas. Elle s'imagina entrant au Real avec une connaissance ou même toute seule et s'épouvanta. Non. Ça jamais. Dans un élan d'audace, elle écrivit au mail qui figurait sur la page : "Bonjour, j'aimerais engager un accompagnateur pour le 2 du mois prochain. Plus exactement, je voudrais que ce soit Adam. J'aurais besoin que le rendez-vous soit pour 19 h 30 au Café de Oriente, Plaza de Oriente, pour faire connaissance. De là nous irions au Teatro Real juste à côté, pour voir un opéra. La représentation dure 4 h 20 avec les entractes, donc nous sortirions vers 00 h 30 au plus tard. Le travail s'arrête là et Adam peut s'en aller. Combien cela me coûterait-il, s'il vous plaît ?" Elle espérait que, s'agissant d'une rencontre non consommée, on lui baisserait un peu le prix, mais la réponse tomba dans sa boîte avec une rapidité surprenante, compte tenu du fait qu'il était trois heures du matin, et une coriace indifférence aux circonstances : "Bonsoir, nous pensons qu'il n'y aura pas de problème mais nous devons le confirmer demain avec Adam, d'après ce que vous dites cela fait cinq heures, donc le prix serait de 600 euros."

Six cents euros ! s'effraya Soledad. C'est ridicule, c'est absurde, c'est une gaminerie, monologua en elle la voix barbante de la raison. Mais elle ne pouvait plus s'arrêter, elle avait franchi la ligne, elle se voyait emportée par l'inertie, par la soif de vengeance, par la curiosité. Six cents euros. Très bien, elle se l'offrirait pour son anniversaire, elle s'offrirait le luxe d'apparaître avec ce canon et de l'exhiber devant Mario, devant ses voisins de fauteuil, devant les ouvreuses et devant toutes les femmes enceintes des alentours.

Le 1er novembre, juste la veille de la représentation de *Tristan et Iseult*, le jour de la Toussaint ou fête des Morts, comme cela tombait bien, Soledad allait avoir soixante ans. Fermes et lourds comme une sentence.

Personne ne meurt d'amour en réalité, pensa-t-elle en pianotant "d'accord". On ne meurt d'amour que dans ces fichus opéras.

Mais il fallait reconnaître que certaines personnes se tuaient, en effet, par amour, ou c'est du moins ce qu'elles-mêmes affirmaient dans leurs lettres d'adieu, se dit Soledad tout en écoutant sans l'écouter l'architecte qui lui était imposée pour l'exposition, Marita Kemp, qu'elle venait de rencontrer et pour laquelle elle avait ressenti une antipathie immédiate. Marita pérorait pompeusement en disant des lieux communs et Soledad dessinait des triangles nerveux et répétitifs sur son bloc-note afin de lutter contre la lassitude et la fatigue. Elle n'avait dormi que quelques heures et était arrivée à la Bibliothèque nationale avec plus de vingt minutes de retard : c'était la toute première réunion pour donner le coup d'envoi de l'expo et la commissaire arrivait la dernière. Quand une secrétaire agitée l'avait fait entrer dans la salle, ils étaient déjà tous là : l'architecte, le directeur des actions culturelles, le responsable des expositions, la coordinatrice exécutive, le chargé de communication, la directrice de la Bibliothèque nationale, qui était la seule personne que Soledad connaissait, et, bien évidemment, l'Éminent Personnage, l'avocat Antonio Álvarez Arias, administrateur de l'important fonds Duque de Ruzafa, la donation qu'un aristocrate féru de littérature et mort sans enfant avait faite à la Bibliothèque nationale avec l'obligation d'organiser une grande exposition sur un thème libre tous les deux ans. Ils sirotaient tous très sagement leurs cafés et avaient accueilli Soledad avec d'évidents regards de blâme. Même la directrice, Ana Santos Aramburo, qui en temps normal était un ange et par ailleurs sa protectrice, car c'était elle qui lui avait offert ce travail, s'était exclamée en la voyant entrer : on croyait qu'il t'était arrivé quelque chose !

Et en effet. Il lui était arrivé quelque chose. On lui avait tranché la tête d'un coup de hache. Mais ces choses-là ne se racontaient pas.

Marga Roësset, par exemple. Marga Roësset, poétesse, peintre et sculpteur excellent, se tira une balle à l'âge de vingt-quatre ans parce qu'elle était désespérément amoureuse de Juan Ramón Jiménez. C'est du moins ce qu'elle raconta dans la lettre qu'elle laissa à Zenobia Camprubí, l'épouse de Juan Ramón. C'était en 1932. Le futur Nobel avait cinquante et un ans. Mais cette obsession mortelle était-elle vraiment de l'amour ? Tous les amours étaient-ils obsessionnels ? Ou peut-être les obsessions se déguisaient-elles en apparence d'amour pour avoir l'air de quelque chose de plus beau qu'un simple déséquilibre mental ?

– Mais, pour être sincère avec toi, je n'arrive pas très bien à comprendre sur quel concept référentiel nous travaillons.

– Comment ?

Soledad sortit de sa léthargie aiguillonnée par l'emphase de Marita Kemp. Elle n'avait pas prêté une véritable attention à ses paroles, mais ce ton avait retenti à ses oreilles comme une clochette : arrogant et irritant. Elle constata qu'elle s'était légèrement penchée sur la table en direction de l'architecte et se redressa aussitôt. Cette inclinaison pouvait être prise pour un signe d'indécision.

– Cette exposition sur les Écrivains maudits me semble très bien, mais ça peut être tout et n'importe quoi. Qu'est-ce que tu appelles, toi, un écrivain maudit ? Est-ce que tu envisages une *approach* existentielle, sociale, commerciale, transversale ? insista Kemp avec pédanterie.

Approach ! Elle avait dit *approach* !

– Est-ce que tu as lu ma proposition, Marita ? Je croyais qu'on l'avait envoyée à tout le monde, répondit Soledad qui se sentait maladroite et fatiguée.

– Oui, oui, tout le monde l'a, naturellement, dit le directeur des actions culturelles.

– Eh bien j'y définis mon idée, il me semble.

– Bien sûr que je l'ai lue, plusieurs fois, mais je ne saisis toujours pas. En plus, comme tu ne donnes pas de noms…

Soledad domina avec difficulté son irritation :

– Nous sommes en train de parler d'une exposition internationale… Nous allons disposer de prêts d'autres bibliothèques. Tant que nous ne savons pas quels éléments nous pourrons obtenir, il n'y aura pas de liste définitive des auteurs. Bettina et moi allons nous en occuper en priorité, dit-elle en jetant un regard complice à la coordinatrice, qui hocha la tête avec affabilité.

– En effet, Marita, il s'agit juste d'une première prise de contact, tempéra Santos Aramburo, la directrice de la bibliothèque. Nous sommes encore dans la phase d'élaboration du projet. C'était peut-être une erreur de ma part de convoquer une réunion à une étape aussi prématurée. Mais je suis tellement enthousiasmée par cette idée que je voulais donner de l'élan à cette boule de neige pour réussir à provoquer une avalanche, je voulais mettre la synergie en marche. En réalité, j'adore que tu sois aussi débordante d'inquiétudes, Marita. Je vois que tu vas être comme le Jiminy Cricket du groupe, veillant à ce que nous n'arrivions pas en retard à nos engagements, n'est-ce pas ? rit-elle en regardant Soledad avec malice. Mais nous avons encore vingt mois avant l'inauguration et beaucoup, vraiment beaucoup de choses à définir.

– Cependant je partage les inquiétudes de Marita, dit Álvarez Arias.

Hormis l'architecte, tout le monde le regarda avec consternation. Quand l'Éminent Personnage disait quelque chose, les autres retenaient leur souffle.

– Cette exposition sera la première organisée avec le fonds Duque de Ruzafa et il faut qu'elle soit parfaite. Il faut que ce soit un événement inoubliable, martela l'avocat.

À coup sûr, Marita plaisait à Triple A. La quarantaine environ, une longue chevelure châtain avec des mèches, minijupe, bottes hautes, nez refait. À l'évidence une fille de bonne famille, comme pratiquement tout le monde dans le milieu de l'art. Les triomphateurs de la classe moyenne comme Álvarez Arias raffolaient toujours des petites filles riches.

– Bien sûr, Antonio. Ne t'inquiète pas. Cette responsabilité est très claire pour moi et cette exposition aussi, répondit Soledad. Elle sera mémorable si elle est différente, si elle est émouvante, si elle a du sens, si elle est authentique. Je ne sais pas si vous avez vu l'exposition Art et Folie que j'ai organisée au Reina Sofia il y a deux ans…

– Merveilleuse ! Merveilleuse. Vous l'avez vue ? interrompit Santos Aramburo avec son enthousiasme habituel. C'est justement à cause de ce commissariat que nous avons fait appel à Soledad Alegre pour notre première exposition Duque de Ruzafa. Art et Folie était, était… J'ai adoré ce concept pluridisciplinaire, les œuvres d'art avec les rapports médicaux, avec les textes littéraires, avec les images filmées, avec la musique, avec les témoignages personnels, avec… C'était comme un kaléidoscope ! Et puis c'était si narratif ! La narration unifiait tout et donnait un sens. C'est pour ça que nous avons pensé à Soledad pour réaliser une expo sur le monde des livres, Antonio, parce que son travail est très littéraire.

– Merci beaucoup, Ana, dit Soledad avec une gratitude authentique. Oui, je crois que tu as indiqué le plus important, en tout cas pour moi : le sens, la narration… Ce que j'essaie de faire, c'est de proposer un plan au milieu du chaos.

– Alors ça ne va pas être une exposition polysémique ? insista Marita, qui donnait des coups de bec comme une poule agaçante.

Soledad la regarda, exaspérée. Quelle imbécile, celle-là.

– Pourquoi dis-tu ça ?

– Eh bien, tu vas choisir et mettre en avant une signification particulière, n'est-ce pas ?

La directrice de la bibliothèque trancha dans le vif :

– Bon, mes amis, j'ai énormément de choses à faire et je suis sûre que vous aussi. Cette réunion était juste une première prise de contact, l'objectif était de nous connaître tous et de partager l'émotion de ce réjouissant projet, et je crois que ce but est atteint. Cette exposition est à bien des égards un défi pour la bibliothèque. Ce sera l'expo la plus importante, la plus internationale et avec le plus gros budget de l'histoire de cette institution, et c'est pour ça que nous faisons les choses d'une manière différente de ce que nous avons toujours fait. Par exemple, nous avons l'habitude de faire appel à une entreprise pour qu'elle conçoive le design des salles, mais vu l'envergure du travail nous avons décidé d'engager Marita Kemp comme architecte de l'exposition. Ce sera notre première collaboration et j'en suis ravie. Et nous avons aussi vingt mois devant nous, ce qui est un délai plus généreux que d'habitude.

– Art et Folie m'a pris trois ans. Entre l'élaboration du projet et son exécution. Vingt mois, ce n'est pas tant que ça.

– Mais tu vas nous faire des merveilles, Soledad, j'en suis sûre, conclut Ana avec un sourire éblouissant mais aussi implacable qu'une foreuse de tunnel. Enfin, merci à tous, et plus particulièrement à toi, Antonio, encore une fois un grand merci. Sans le généreux legs du Duque de Ruzafa, rien ne serait possible.

Tout le monde se leva dans une cacophonie de grincements de chaises. Alors, Marita était nouvelle. Voilà pourquoi elle se comportait comme ça. Par manque de confiance. En plus de sa stupidité intrinsèque, bien sûr.

– Être maudit, c'est savoir que votre discours ne peut pas avoir d'écho, parce qu'il n'y a pas d'oreilles capables de vous comprendre. En cela, être maudit ressemble à la folie, lâcha brusquement Soledad. Être maudit, c'est ne pas correspondre à son époque, à sa classe sociale, à son milieu, à sa langue, à la culture à laquelle on est censé appartenir. Être maudit, c'est désirer être comme les autres, mais ne pas pouvoir. Et vouloir être aimé, mais ne susciter que de la peur ou peut-être du rire. Être maudit, c'est ne pas supporter la vie et surtout ne pas se supporter soi-même.

Tout le monde était debout, silencieux, à la regarder. Ils étaient certainement en train de se dire : et à quoi ça rime, ça, maintenant. Ça aussi, c'était le propre des maudits. Provoquer de la gêne par sa simple présence.

Elle n'avait plus sur elle que son soutien-gorge et sa culotte. Ils étaient assortis, couleur vert d'eau, en dentelle, ravissants. Soledad soupira et, sans cesser de se regarder, dégrafa le soutien-gorge et le retira. Elle le jeta par terre. Puis, lentement, elle sortit une jambe de la culotte, laissa tomber celle-ci jusqu'à l'autre cheville et s'en débarrassa d'un mouvement du pied. Elle se redressa. Des seins ronds, denses, un peu tombants, c'était logique, mais encore jolis. Un corps travaillé au club de gym. Entièrement naturel. Soixante ans. Pour ses soixante ans, elle n'était pas mal du tout. Mais, bien sûr, à partir d'aujourd'hui elle devenait une fichue sexagénaire. Elle tendit un bras et alluma la lumière. Le spot du dressing s'illumina au-dessus d'elle et son corps tout entier, auparavant acceptablement lisse avec l'éclairage indirect, parut s'écrouler brusquement comme soumis à une force de gravité de 3G, montrant des vagues, des creux, des rides, des affaissements musculaires. Elle se scruta lentement dans le miroir, sans compassion. Le corps est une chose terrible, dit-elle à haute voix, en soliloquant, ce qui est une façon de débloquer.

Le corps était une chose terrible, en effet. La vieillesse et la détérioration s'y tapissaient insidieusement et l'intéressé était souvent le dernier à l'apprendre, comme les cocus du théâtre classique. Par exemple, vous pouviez parfois voir courir devant vous au Retiro une trentenaire en short, manifestement satisfaite de ses cuisses, qui ignorait qu'en réalité celles-ci se remplissaient déjà de cellulite et, sous la lumière féroce du soleil, offraient une apparence assez déplorable.

Soledad, bien sûr, courait en legging.

Chair perfide, ennemie intime qui faisait de vous la prisonnière de sa défaite. Ou le prisonnier, car les hommes aussi se découvraient tout à coup, dans le raccourci d'un miroir, un cou flasque de tortue, par exemple. Sans parler de la prostate, ou de la panique de ne pas être à la hauteur dans la joute amoureuse. La chair tyrannique les asservissait tous.

Elle éteignit le spot. Il ne s'agissait pas non plus d'être masochiste, surtout le jour de ses soixante ans. Elle était encore bien. Elle était encore très bien. Tout le monde lui donnait dix ans de moins. Blonde naturelle, ce qui était une bénédiction pour dissimuler les cheveux blancs. Les yeux gris. 1 mètre 74. Mince. Elle sourit, se rappelant les fiches des gigolos. Adam. Il restait moins de vingt-quatre heures avant de le rencontrer. Quelle folle. Elle eut soudain l'impression de s'embarquer dans une galère absurde. *Tristan et Iseult*. Mario. Un goût âcre remplit sa bouche, le goût de la peine et de la colère.

Ce qui ne laissait pas le moindre doute, c'est que l'amour vous empoisonnait, vous abrutissait, vous faisait commettre toutes sortes de d'imbécilités et d'excès. Prenez William Burroughs, par exemple. En 1939, à l'âge de vingt-cinq ans, cette icône de la Beat Generation se coupa une phalange de l'auriculaire gauche avec des ciseaux à désosser les poulets. Il était amoureux d'un adolescent trompeur et très jaloux qui lui avait demandé une preuve de son affection. Et Will lui donna un morceau de sa chair. Sur les dernières photos de Burroughs, devenu un vieillard émacié, un vieil insecte pâle, on voyait l'absence criante de cette phalange. Soledad se demandait combien de temps il avait continué d'aimer ce gamin après sa mutilation. Combien de temps jusqu'à découvrir qu'il ne l'intéressait pas du tout. Burroughs pouvait être un des maudits, bien sûr. En fait, il avait réussi à devenir un maudit tellement évident à cause du coup de feu qui, des années après, fit voler la tête de sa femme alors qu'il jouait à Guillaume Tell avec un pistolet, que sa célébrité était ce qui la retenait le plus de l'inclure dans l'exposition. Mais l'épisode de la phalange était bien moins connu, et peut-être qu'elle arriverait à se faire prêter le manuscrit de *The Finger*, la nouvelle que Burroughs avait écrite sur l'amputation. Il fallait qu'elle dise à Bettina de demander à la Bibliothèque publique de New York, à l'université Columbia et à la Bibliothèque Green de Stanford, qui étaient les endroits où les manuscrits de Burroughs étaient conservés, si sa mémoire était bonne. S'ils parvenaient à avoir *The Finger*, Soledad pourrait construire une scène significative centrée sur le moment où il s'arrachait le doigt... Une scène qui capturerait une miette du cœur de Burroughs. Soledad avait l'idée, encore en construction, d'articuler l'expo autour de scènes fondatrices de la vie des écrivains. Chercher ces moments qui sont le cratère d'une existence, le trou où la lave bouillonne, l'instant qui définit vos jours, car, quoi que vous fassiez, vous allez toujours le porter avec vous. Comme l'éclatante absence de phalange de Burroughs et tout ce qu'elle signifiait. Cette coupure bestiale (quel bruit l'os avait-il pu faire en se disloquant sous les lames des ciseaux de cuisine ?) annonçait déjà le coup de feu de Guillaume Tell.

Mais Soledad avait un autre mutilateur d'auriculaires qui lui plaisait beaucoup plus : Ulrich Von Liechtenstein, un des troubadours les plus importants de son temps, le XIIIe siècle, en plein époque de l'amour courtois. Toutefois les historiens ne parlaient pratiquement jamais de lui car ils le considéraient comme un imbécile. Existe-t-il malédiction plus grande qu'aspirer à la gloire et être ridicule ? Von Liechtenstein, éperdument épris de sa Dame, qu'il garda dans l'anonymat tout au long de son œuvre mais qui était apparemment la belle Theodora Angeline, l'épouse du duc Léopold d'Autriche, se trancha d'abord la lèvre supérieure, car la duchesse avait dit que sa forme ne lui plaisait pas ; puis il se coupa plus tard l'auriculaire gauche, le fit recouvrir d'or par un orfèvre et l'envoya en cadeau à sa Dame accompagné d'un poème, afin qu'il lui serve de baguette de lecture. Ce pauvre dément était, par ailleurs, un bon guerrier et il tenta aussi de conquérir la duchesse en se rendant célèbre dans les combats singuliers des joutes, de sorte qu'il parcourut l'Europe centrale en défiant tous les chevaliers qui passaient à sa portée. Il appela son périple "Le voyage de Vénus" car il était déguisé en cette déesse de l'amour et de la beauté, avec deux tresses postiches enchevêtrées de perles qui pendaient sous son heaume et une tunique de gaze brodée de petites fleurs recouvrant sa cotte de mailles. Toutes ces péripéties extravagantes étaient contées dans l'ouvrage le plus important d'Ulrich, *Frauendienst*, "Au Service de la Dame", qui se trouvait à la Bibliothèque d'État de Bavière. Ils devaient pouvoir l'obtenir. Vêtu en femme, il s'était battu contre cinq cent soixante-dix-sept chevaliers ; il en avait vaincu trois cent sept et avait été battu par deux cent soixante-dix. Malgré toute cette frénésie causée par la passion, il n'obtint de la farouche Theodora Angelina que de nouvelles moqueries, encore et encore.

L'amour vous transformait en être pitoyable.

Soledad n'avait jamais vécu avec personne. Quand elle l'avait voulu, elle n'avait pas pu, et ensuite elle n'avait pas voulu. Elle avait eu, par contre, beaucoup d'amants. Mieux valait la distance. Mieux valait le contrôle. Que la passion brûle cernée par un coupe-feu. Elle avait le béguin facile. Plutôt instantané. Voire foudroyant. Elle avait besoin d'être amoureuse. Elle aimait l'amour, comme disait saint Augustin. Elle était accro à la passion et, en bonne accro, cela ne l'intéressait pas de vivre sans. Soixante ans. Elle se jeta un dernier regard dans le miroir et se mit à enfiler son pyjama. Elle n'était pas belle : son nez était long et fin, son menton pointu ; en fait, durant son adolescence et une bonne partie de sa jeunesse, elle s'était sentie étrange et laide, trop grande, trop athlétique, peu féminine. Avec le temps, cependant, elle avait fini par comprendre que son corps était un joli corps, que les autres femmes le lui enviaient, que sa petite poitrine s'avérait sexy. Et elle avait aussi de jolis yeux, elle avait de la personnalité et du style, et son charme s'était accru avec les années... jusqu'à tout récemment. Car Soledad pressentait que ce charme avait commencé à décroître depuis peu, elle ne savait pas bien quand : l'intéressé, on l'a dit, est le dernier à être informé des dégâts. Certes, elle était encore bien, elle était encore capable d'incendier la chair d'un homme jeune et beau comme Mario, mais combien de temps cela durerait-il ? Mario et elle avaient rompu quatre mois plus tôt. À son âge, chaque jour était un gâchis. À son âge, elle entrait désormais dans le temps des chiens : sept ans pour une année humaine. Ouiiiii !!! cria Soledad dans le silence de la nuit : à chaque année du calendrier qui s'écoulait, c'était pour elle comme si celle-ci était multipliée par sept, tant les changements et les pertes étaient définitifs et vertigineux.

Peur.

La dernière fois qu'elle avait fait l'amour. Et si elle n'avait jamais plus d'amant ? Les gens ne savaient pratiquement jamais quand c'était la dernière fois qu'ils faisaient quelque chose d'important pour eux. La dernière fois que vous gravissez une montagne. La dernière fois que vous skiez. La dernière fois que vous avez un rapport sexuel. Car ce corps mutant qui tout à coup se plissait, se ramollissait, se crevassait, s'affaissait et se déformait, ce corps perfide, enfin, ne se contentait pas de vous humilier : il commettait de surcroît la grossièreté suprême de vous tuer. Et donc, quand vous arriviez à cet âge, l'âge des chiens, les possibilités malignes de la chair se multipliaient. Et vous vous découvriez un jour une plaie dans la bouche, une boule dans le cou, un sourcil plus bas que l'autre, un hématome de rien du tout sur une jambe, et vous ne vous rendiez pas compte que ces broutilles étaient la carte de visite de l'assassin, du criminel silencieux qui allait vous exécuter. Oui. Oh, oui. Peut-être tout était-il déjà fini. Peut-être mourrait-elle sans avoir véritablement connu l'amour.

Elle décida de prendre un Orfidal entier pour dormir car elle était sûre qu'une horde de fantômes l'attendait dans son lit : les mauvaises pensées s'entortillaient dans sa tête comme un nid de vipères. Le lendemain, elle allait devoir passer la difficile épreuve de *Tristan et Iseult*. En plus de la sainte trinité de Mario, sa femme et la chose à naître. Et de ce premier homme sur la Terre qu'était Adam, le prostitué. Peut-être était-elle, elle aussi, sur le point de se ridiculiser.

Soledad avait beau avoir passé la moitié de sa nuit d'insomnie à décider avec une exactitude maniaque quelle robe, quelles chaussures, quel manteau et quel sac elle allait porter à l'opéra, lorsque le moment de vérité arriva et qu'elle enfila le tout, elle se trouva horriblement laide. Cela faisait donc plus d'une heure maintenant qu'elle essayait des modèles et il commençait à se faire tard : heureusement qu'elle habitait à côté du Teatro Real. Elle fouilla dans ses armoires ; elle n'avait pas trop de vêtements, mais presque tous étaient de bonne qualité, de coupe plutôt classique bien que tendant vers le minimalisme et l'avant-garde. Elle aimait les designs géométriques parce qu'ils allaient bien avec son corps anguleux et musclé ; elle adorait les Japonais Miyake et Yamamoto, les Allemands Boss et Sander. Elle se considérait comme une femme ayant du style et se sentait particulièrement fière qu'on ne remarque pas son origine modeste. C'était une question d'élégance naturelle, se rengorgea-t-elle ; Mario en avait aussi. Mais ces derniers mois, quelque chose était en train de se passer entre elle et ses vêtements, entre elle et sa façon de s'habiller, entre elle et… elle. Comme si les robes dans lesquelles elle se sentait parfaite autrefois ne lui correspondaient plus. Comme si quelque chose grinçait légèrement.

C'était l'âge, évidemment. Avant, ces robes sobres aux lignes épurées la rendaient plus sexy, mais maintenant elles durcissaient et desséchaient son apparence. Elle se mettait maintenant à ressembler à une religieuse laïque.

Elle rugit et s'arracha son Miyake blanc et gris avec une telle fureur qu'elle en perdit un bouton. Elle voulait être très belle. Elle voulait être renversante. Elle voulait être parfaite. Que Mario la regarde et qu'il la regrette, ne fût-ce qu'un instant.

La sonnette de la porte retentit, stridente. Il ne manquait plus que ça. Elle enfila son peignoir et alla ouvrir.

– Ah. Bonjour. Pardon. Je… j'ai l'impression que je tombe mal, bégaya la nouvelle arrivée.

C'était Ana, la jeune journaliste qui vivait dans la petite mansarde de l'étage du dessus. Son fils, un gamin renfrogné de quatre ou cinq ans, était pendu à sa main. Avec quelle tête j'ai dû ouvrir la porte pour qu'Ana se soit aperçue qu'elle m'enquiquinait ? pensa Soledad ; et elle fit un effort pour adoucir son humeur. Mais cela ne servit pas à grand-chose.

– Ce n'est pas grave. Qu'est-ce que tu veux ? aboya-t-elle.

– Pardon, je te dérangerais pas si c'était pas absolument nécessaire, tu sais. C'est pour Curro… Voilà, en fait… y a qu'on m'a coupé l'électricité et je peux pas réchauffer le repas de Curro et… je me demandais si je pouvais utiliser ta cuisine un moment, dit-elle en montrant la gamelle en plastique qu'elle tenait à la main.

– On t'a coupé l'électricité ?

La jeune femme rougit.

– Oui, c'est que… enfin, depuis qu'ils ont fermé *Noticias*… la revue où je collaborais… Bref, j'ai pas de travail, c'est très dur en ce moment, et en plus comme j'avais pas de contrat fixe je ne touche pas non plus le chômage, donc… Il fallait choisir entre payer le crédit ou l'électricité et j'ai payé le crédit, bien sûr, hahaha.

Son rire sembla un peu trop aigu, trop hystérique.

– Mais qu'est-ce que tu vas faire ? Et avec ce froid. Tu dois combien d'électricité ?

– Deux cent trente euros. Je crois que mes parents vont me les envoyer. En plus, j'ai écrit un roman et je l'ai envoyé à un concours pour auteurs débutants ! Ils décernent le prix dans deux mois et paient cinq mille euros… Et moi, comme je suis dingue, je crois qu'ils vont me le donner, hahaha !

Un roman ! Même le dernier des imbéciles écrivait.

– Oui, bien sûr. Mais entre. Je suis en train de me préparer et je suis pressée. Je te laisse seule. Fais ce que tu dois faire.

Elle conduisit Ana et le gamin dans la cuisine, désagréablement consciente de sa bonne, chaude et jolie maison, puis elle retourna à toutes jambes dans sa chambre poursuivre ses essayages de vêtements. Avec le même désespoir qu'avant mais avec cinq minutes en moins et un sentiment gênant de culpabilité. Elle allait claquer six cents euros pour une gaminerie, pour une vengeance inutile digne d'une adolescente décérébrée, et sa voisine s'était fait couper l'électricité parce qu'elle n'avait pas de quoi payer deux cent trente euros. Oui, elle savait, elle savait ! Il y avait beaucoup de gens en Espagne qui traversaient une mauvaise passe. La crise avait laissé des blessures très profondes et le sang coulait de partout. Elle, au contraire, elle avait perçu un gros salaire pendant des années comme directrice de Triángulo, jusqu'à ce que le centre culturel soit fermé. Et elle continuait maintenant de gagner suffisamment avec les critiques, les conférences, les cours et les expositions. En plus, elle aimait ce qu'elle faisait et elle avait réussi, étonnamment, à se bâtir un prestige modéré de spécialiste du marginal, de l'hétérodoxe, du bizarre et du confus. Le premier venu pouvait croire qu'elle avait beaucoup de choses dans sa vie et qu'il n'y avait pas de raisons de se plaindre, et certes, en effet, elle possédait beaucoup de choses mais qui ne lui servaient à rien, parce que ses manques pesaient beaucoup plus lourd. Comme le lui avait dit un jour Miguel Mateu, le fondateur de Triángulo : ce qui compte, ce n'est pas ce que l'on a, mais ce que l'on désirerait avoir. Par exemple, elle désirerait avoir et enviait même de nombreux éléments de la vie d'Ana. Son âge, pour commencer. Car elle devait avoir dans les vingt-huit ou vingt-neuf ans ! Tout cet avenir plein de promesses devant elle. Et son fils. Et ses parents, elle avait même des parents ! Et puis cette saloperie de roman. Soledad aimait ce qu'elle faisait, mais elle aurait donné un bras pour être capable d'écrire de la fiction. Pour avoir osé le faire. Mais c'était trop tard, pour ça comme pour tant d'autres choses. Le lendemain, elle laisserait un chèque de deux cent trente euros à sa voisine dans la boîte à lettres. Et peut-être qu'elle lui laisserait aussi une carte qui dirait : "Sois consciente de ce que tu possèdes, ne perds pas de temps, ne te plains pas, tu es riche, tu es tellement riche de jeunesse et d'avenir. Profite, parce qu'un jour tu te réveilleras et tu seras vieille."

Et être vieux, c'est avoir un passé irrémédiable et ne plus avoir le temps de le rectifier. Si Soledad n'avait jamais vécu avec personne, c'est parce que en réalité personne ne l'avait aimée suffisamment. Autrement dit, elle n'avait pas été aimée comme elle avait besoin d'être aimée. De la façon dont elle méritait d'être aimée. Et, à son âge, il était chaque jour plus improbable que cela se produise. Toute la société allait par deux ; les gens normaux ne s'en rendaient pas compte, mais aux spectacles, dans les restaurants, dans les lieux de vacances et chaque jour férié, le monde se remplissait de couples. Tout le monde était deux, plus ou moins beaux ou laids, plus ou moins vieux ou jeunes, hétérosexuels ou homosexuels, avec ou sans enfants, atrocement ensemble de tous les côtés. Alors que Soledad, faisant honneur à son prénom, était toujours seule. Il est vrai qu'elle s'appelait Alegre* : quelle aberration.

Et pourtant, j'ai tant à donner ! cria Soledad ; et elle fit ensuite semblant de chanter, de crainte qu'Ana ait entendu son cri depuis la cuisine. Oui, elle avait tant à donner, le flot de sa tendresse stagnante, et les replis délicats de sa sensibilité, et son énorme besoin d'affection, qui était une boule de feu qui brûlait dans sa poitrine, consumant tout l'oxygène de sa vie et menaçant de l'asphyxier.

Elle mourrait sans avoir connu l'amour. Ça, c'était bel et bien être pauvre, et non le fait de ne pas pouvoir payer une fichue facture.

---

* "Joyeux" en espagnol.

Elle entra dans le café avec dix minutes de retard et le reconnut tout de suite ; c'était le plus grand et le plus beau. Il se tenait de profil, accoudé au bar, distraitement, sans regarder la porte, comme s'il n'en avait rien à faire. Mais, après tout, il ignorait son apparence, cela ne changeait donc pas grand-chose qu'il surveille l'entrée ou pas. Il ne saurait que c'était elle qu'au moment où elle le saluerait. C'est ce que Soledad fit en cet instant, le cœur un peu battant. Elle toucha son épaule pour qu'il se retourne :

– Tu es Adam, n'est-ce pas ? Je crois que je prononce bien, avec l'accent tonique sur le premier *a*...

– Oui, oui, Adam... Et tu es Soledad...

Elle avait donné son vrai prénom et un faux nom. Grand sourire, sympathique et magnifique, du garçon. Il se pencha et l'embrassa avec naturel sur les deux joues.

– Enchanté.

Une veste gris plomb, une chemise bleue, une fine cravate en cuir, de bons mocassins, un jean sombre. Il avait les cheveux un peu plus longs et plus épais que sur les photos : une crinière de lion noir. Quand il ne montrait pas son torse, il semblait également plus mince. Plus pianiste et moins trapéziste. Parfait pour l'opéra.

Soledad était arrivée tellement tard qu'ils disposaient à peine de temps pour parler.

– Je t'ai engagé parce que je veux qu'une personne me voie accompagnée. Ce serait bien que tu te montres affectueux, mais pas trop. Quelque chose de très subtil, qui donne l'impression que je te plais, mais sans exagérer, lui demanda-t-elle.

– Ça sera très facile à faire, ne t'inquiète pas, la baratina-t-il. Il parlait très bien l'espagnol mais il avait un accent. Allemand, peut-être ?

Ils sortirent du café et se retrouvèrent aussitôt pris dans le tourbillon des gens qui entraient au Teatro Real. Une fois dans le hall, Adam l'aida à retirer son manteau avec une attention galante. Soledad salua deux ou trois personnes en passant et s'arrêta pour parler un instant avec Anichu Arambarri et Alberto Corazón, une commissaire d'expositions et un célèbre artiste plasticien qu'elle connaissait de ses années à Triángulo. Elle leur présenta Adam et vit le regard appréciateur qu'Arambarri lui lança. En réalité, tout le monde le regardait : presque toutes les femmes et pas mal d'hommes. Soledad se rengorgea d'orgueil : elle se sentait comme Cendrillon lorsqu'elle est choisie par le Prince au soir du grand bal. Elle, qui était presque toujours seule, car les relations avec des hommes mariés sont clandestines, elle faisait maintenant partie du très vaste univers des couples. Et quel compagnon que le sien ! Il était incroyablement beau. Le plan se déroulait très bien ; dommage que, bien que guettant discrètement, elle ne parvienne à voir Mario nulle part.

Le premier acte et le premier entracte s'écoulèrent sans nouveauté, Adam jouant son rôle à la perfection. À l'acte deux, cependant, elle dut lui donner un coup de coude parce qu'il s'endormait. Le garçon se troubla comiquement et joignit ses mains pour demander pardon ; malgré ses airs de musicien soliste, Wagner ne devait pas beaucoup lui plaire. Le dernier entracte arriva et elle ne vit pas davantage Mario. Le gigolo s'excusa :

– Pardon pour avant. J'ai presque pas dormi.

– Ce n'est pas grave. Tu as fait la bringue hier soir ? dit Soledad sans cesser de surveiller le hall, et elle regretta aussitôt sa question : comme si elle en avait quelque chose à faire qu'il sorte ou pas.

– Non. Je me suis levé très tôt parce je devais travailler… Un autre type de travail, pas celui-là.

Elle fut sur le point de lui demander lequel, mais se retint. Au lieu de ça, elle dit :

– De toute façon, j'ai l'impression que l'opéra n'est pas ton truc...

– Non, ce qu'il y a, c'est que je suis pas habitué à cette musique... Mais j'apprends très vite, répondit-il, et il lança un sourire aguicheur et éblouissant.

Deux femmes âgées et couvertes de bijoux le regardèrent comme des louves faméliques. Ses clientes étaient-elles comme ça ? Soledad l'observa à son tour, un peu à la dérobée. Terriblement séducteur. Et dire que, pour la somme qu'elle allait lui payer, elle aurait pu coucher avec lui ! Pendant un instant, elle s'imagina en train d'embrasser cette bouche, mais arracha l'idée de sa tête à toute vitesse. Troublée, confuse.

– En plus Wagner est assez ardu... Il y a des opéras plus faciles, dit-elle en se mordant la langue pour ne pas ajouter : je te les montrerai.

Pourquoi les hommes beaux lui plaisaient-ils autant ? Pourquoi avait-elle cette satanée faiblesse, cette fixation ? Et pourquoi les hommes de son âge ne lui plaisaient-ils pas ? Peut-être parce qu'elle ne voulait pas se reconnaître âgée, ou peut-être parce qu'elle avait encore besoin de vivre ce qu'elle n'avait pas pu vivre dans sa jeunesse. La tyrannie de son désir rendait tout plus difficile. Elle enviait les hommes, ce qui n'était pas habituel chez elle, pour le naturel avec lequel la société acceptait les couples à différence d'âge, pourvu que la fille soit la plus jeune. En réalité, il y avait aussi beaucoup d'attirance entre des femmes âgées et des hommes plus jeunes, Soledad le savait bien ; mais la plupart des mâles se sentaient gênés d'occuper publiquement cette place, ils craignaient d'être vus comme des anormaux ou des opportunistes, et ne laissaient généralement libre cours à leur désir que lorsque celui-ci était adultère, clandestin. Sans risque d'être vus. Comme Mario. Qui continuait de n'apparaître nulle part.

La sonnerie du dernier acte retentit et ils retournèrent occuper leurs fauteuils. Soledad était si tendue et si nerveuse qu'elle avait été incapable de profiter du spectacle. Mais la représentation était très bonne, le montage excellent, les chanteurs splendides, et le magnifique troisième acte commença à s'emparer d'elle. Lorsqu'ils arrivèrent à l'aria final, au saisissant *Liebestod* d'Iseult, elle était si captivée, si bouleversée, qu'à son horreur elle se mit à verser toutes les larmes de son corps. Elle essaya de s'arrêter, mais n'y arriva pas. Toute la douleur de la vie lui serrait la poitrine ; c'était une lourde pierre tombale, la sépulture de l'avenir dont elle rêvait quand elle avait dix-huit ans. Elle pleura et pleura donc, désespérée, enragée, consciente que son rimmel coulait et qu'elle devait avoir une tête horrible. Les ovations retombèrent peu à peu, les lumières se rallumèrent et elle hoquetait toujours. Adam la regardait, intrigué, peut-être un peu effrayé. Il lui mit son bras sur les épaules tandis qu'ils quittaient la salle.

– Tu vas bien ?

– Oui, renifla Soledad. C'est que c'est si beau. Et si triste.

Elle commençait à se reprendre : les larmes, pour le moins, avaient cessé. Mais elle avait probablement le nez rouge, les yeux gonflés.

– Je dois être affreuse…

– Tu es aussi belle qu'avant, mais avec l'air de pleurer. Les gens vont croire que je suis un type violent.

Était-ce le cas ? s'inquiéta un instant Soledad, en lui lançant un rapide coup d'œil. Le sourire du garçon semblait toujours aussi adorable. Et c'est à ce moment-là, bien sûr, à ce moment précis, que la loi de Murphy démontra une fois de plus son implacabilité et que Soledad, dans le tumulte des gens qui sortaient du théâtre, vit Mario. Il se trouvait juste à deux ou trois personnes de distance et le mouvement de la masse les entraînait plus ou moins en parallèle. Mario la salua d'un hochement de tête à peine perceptible ; elle resta là, à le regarder, mais ne répondit pas. Tout ça pour ça, tous ces essayages de robe, tout ce temps passé à se maquiller, pour qu'il la voie maintenant en larmes et le visage barbouillé. À côté de son ex-amant se trouvait Daniela, l'épouse. Oui, c'était sûrement elle. Belle, et son ventre se remarquait déjà. Soledad se sentit à nouveau glisser vers les larmes, mais elle réussit à se contrôler. Un coup de chance, ou peut-être une formidable intuition professionnelle, fit que juste à cet instant le gigolo lui passa le bras sur les épaules dans un geste naturel et affectueux. Elle vit le regard de Mario, elle le vit examiner Adam avec rapidité et vit s'allumer dans ses yeux quelque chose qui ressemblait à une petite braise de mécontentement. Puis ils arrivèrent à la porte et le couple disparut de sa vue.

Ils prirent l'un des côtés du Teatro Real. Soledad comptait accompagner l'escort jusqu'au métro Ópera et l'y laisser. Elle ne voulait pas lui dire au revoir à la sortie même du théâtre, au cas où Mario les verrait. En plus, elle devait le payer. Elle avait les six cents euros dans son sac, en billets de cinquante dans une enveloppe blanche. Ce geste, le fait de devoir sortir l'enveloppe et de la lui donner, la troublait quelque peu, mais elle supposait que cela ne gênerait pas du tout Adam. À part son visage larmoyant, tout s'était plutôt bien passé. Mario les avait vus, et il avait remarqué le garçon, et sa présence ne lui avait bien sûr pas fait plaisir, Soledad en était certaine, elle le connaissait suffisamment. Mission accomplie et six cents euros bien investis. Mais, puisque tout s'était passé comme elle le voulait, pourquoi ne se sentait-elle pas plus heureuse ?

Ils se trouvaient maintenant dans la calle Vergara et elle aperçut avec contrariété que le magasin des Chinois était encore ouvert et que la femme se tenait sur le pas de la porte, comme elle le faisait souvent pour griller une cigarette ou observer les passants. Soledad avait l'habitude d'acheter presque tout ici, parce qu'elle habitait juste à côté, qu'elle ne mangeait pas souvent chez elle et qu'elle n'avait pas le courage d'aller au marché. Les Chinois, mari et femme d'un âge indéterminé entre quarante et soixante ans, avaient dû passer la moitié de leur vie à gérer leur minuscule épicerie, mais ils ne parlaient toujours pas l'espagnol, ce qu'ils compensaient par des sourires radieux et une vieille calculatrice énorme sur laquelle ils affichaient les comptes. Le problème, c'est qu'il s'agissait d'un couple charmant qui, chaque fois qu'ils la voyaient, la saluaient d'un joyeux *Bojouuuu Soldaaaa*, probablement la version avec l'accent cantonais de *Bonjour Soledad*. Et cette nuit-là, cette salutation montrerait clairement qu'ils se connaissaient et laisserait entendre au gigolo qu'elle habitait dans les parages, une information qu'elle ne souhaitait absolument pas lui fournir. Cependant ils étaient déjà trop près, et traverser la rue ou changer de direction aurait paru trop choquant. Soledad essaya de prendre un air dégagé et de regarder ailleurs, comme si elle était distraite ; mais, dès qu'ils arrivèrent à la hauteur de la porte, la femme la salua avec sollicitude :

– Bojouuuu Soldaaaa !

Elle n'eut pas le temps de répondre. Un hurlement épouvantable, peur et danger à l'état pur, déchira la nuit et les fit se recroqueviller instinctivement sur eux-mêmes. Tout alla très vite ; la porte vitrée couverte d'autocollants s'ouvrit sur le trottoir et le Chinois apparut en titubant, la bouche ouverte sur un cri et les yeux voilés. Il s'écroula sur Adam, qui, dans un réflexe, le retint dans ses bras. L'homme vomit un jet de sang qui aspergea la poitrine du gigolo, et au même instant un barbu sortit du magasin, un couteau dégoulinant à la main. Le monde s'arrêta, tous se regardèrent, une sorte de silence blanc, un voile de stupeur tomba sur eux. Puis, soudain, le paroxysme.

Quelques heures plus tard, pour l'avoir raconté encore et encore, Soledad put organiser de manière compréhensible le flot d'images qui l'avait saturée en une minute. Car c'est ce qu'avait dû durer toute l'action. Le premier à bouger fut l'assaillant, qui tenta de s'enfuir vers la place en rasant le mur. Mais alors, contre toute attente, Adam lâcha le Chinois, qui s'écroula à ses pieds, et, ployant l'échine, il fonça tête baissée sur le flanc du type. Les deux hommes roulèrent à terre, s'empêtrant dans le corps dégingandé de l'épicier, et en quelques secondes Adam se retrouva assis à califourchon sur le barbu, l'attrapa par le cou avec une main et lui asséna avec l'autre des coups de poing féroces sur la tempe. Un policier sorti brusquement d'on ne savait où saisit le gigolo par les épaules.

– Stop ! Stop !

Adam s'arrêta, le visage entièrement taché de sang, avec l'expression absente et ahurie de qui sort d'un tourbillon de violence. L'assaillant avait perdu connaissance. La Chinoise hurlait et pleurait en balbutiant des mots inintelligibles tandis qu'elle essayait de reboucher de sa main l'entaille que son mari présentait à la gorge. D'autres policiers apparurent, puis un manège de curieux, des voitures aux lumières clignotantes et en peu de temps un véhicule du SAMUR : heureusement qu'ils se trouvaient en plein centre-ville. Ils emportèrent la victime et l'agresseur, qui était revenu à lui, dans deux ambulances différentes. La Chinoise partit avec son mari ; ils avaient besoin d'un traducteur pour pouvoir prendre sa déposition. Adam et Soledad racontèrent à la police ce qui s'était passé. Il était difficile de mettre de l'ordre dans le vertige des faits, de poser les mots.

– On connaît bien cet enfoiré. C'est un junky. Dangereux quand il est en manque. Il a attaqué une pharmacie dans la calle Arenal il y a quelques années. On l'a déjà arrêté deux ou trois fois, mais qu'est-ce que vous voulez, ils les relâchent tout de suite, grogna celui qui devait être le chef. Mais peut-être que ça sera plus dur cette fois. Parce que la blessure du Chinois avait l'air bien moche.

Soledad vit avec incrédulité la flaque de sang noire sur le sol. Elle claqua des dents.

– Vous habitez calle Espejo, numéro 12, 4e B ? confirma l'agent qui était en train de recopier les informations de leurs cartes d'identité.

Allons bon. Et elle qui ne voulait pas que l'escort le sache.

– Oui.

– Et vous… Adam Gelman… Calle Virgen de Lourdes, numéro 26, 1er F ?

– Oui.

– Très bien. Alors, ce sera tout. Tenez, dit le policier en leur rendant leurs papiers. Vous devez venir signer votre déclaration au commissariat du Centre, calle Leganitos, numéro 19. À n'importe quelle heure de la matinée, s'il vous plaît.

– Très bien.

Les voitures scintillantes commencèrent à s'en aller, mais les gens du coin continuaient de commenter l'affaire en petits groupes. Soledad s'aperçut qu'elle tremblait. Il faisait froid. Dans la rue et dans son ventre. Elle regarda Adam : il avait une mine épouvantable, tout couvert de sang. Elle ressentit tout à coup une peur et une tristesse infinies. L'idée de marcher dans la nuit sombre jusqu'à son entrée l'angoissait.

– Tu es tout taché. Monte à la maison, si tu veux. C'est juste à côté. Tu pourras te laver. Je ferai du café. Ou plutôt une infusion. Ou plutôt un cognac.

Le gigolo acquiesça de la tête. Ils se mirent à marcher vers Espejo. Sur le site web AuPlaisirDesFemmes.com, ils prévenaient plusieurs fois qu'il valait mieux ne pas recevoir chez soi les "accompagnateurs" – ils employaient toujours cet euphémisme – mais utiliser un hôtel pour les rencontres. Et la voilà elle, Soledad, en train de faire entrer ce garçon dans son appartement. Il est vrai que, de toute façon, l'escort savait maintenant où elle habitait. Autrement dit, cela revenait au même.

Dans l'ascenseur, Adam toucha son poing avec une grimace de douleur. Il avait les jointures rougies, enflées, tuméfiées. Cette main marteau qui tombait encore et encore sur la tempe du type. Si le policier ne l'avait pas arrêté, il aurait pu le tuer. Soledad ne le critiquait pas, au contraire, tout avait été si rapide, si violent, et l'assaillant était si effrayant. Adam avait été courageux. Mais, d'un autre côté, qui lui demandait de se jeter sur cet homme ? Le type voulait juste s'enfuir. De plus, il avait un couteau. Toute cette histoire lui donnait la nausée.

– Tu as la main dans un sale état. Si ça se trouve, tu t'es cassé un os. On devrait peut-être aller aux urgences.

– Non. C'est rien.

– Je te mettrai de la glace.

Pendant que le garçon se lavait, Soledad prépara une infusion et apporta dans le salon une bouteille de cognac et une autre de whisky. D'une main tremblante, elle s'en servit un sans glaçon et mit de la musique. Ludovico Einaudi. Du piano pur et apaisant. Ah, si seulement elle avait pu organiser le monde, ce monde chaotique, bariolé et terrifiant, de la même façon qu'elle organisait ses expositions.

Adam sortit de la salle de bain sans grande amélioration. Son visage et son cou nettoyés, ses contusions n'en étaient que plus visibles. Il avait un sale coup sur une pommette qui enflerait probablement, et une entaille superficielle sous l'oreille gauche.

– J'ai jeté la cravate dans la benne… dans la poubelle de la salle de bain… Elle est tellement tachée que je crois qu'elle est *beyond repair*. Qu'elle est irréparable… Houlà, maintenant j'arrive plus à parler espagnol…

Il avait enlevé sa veste et portait sa chemise entrouverte, encore imprégnée de sang. Soledad lui servit une infusion et le laissa choisir entre le cognac et le whisky. L'escort se remplit un demi-verre du premier et le vida d'un trait.

– Ne t'inquiète pas, tu parles très bien notre langue. D'où viens-tu ?

– Je suis russe. Mais ça fait huit ans que je suis en Espagne.

– Russe ? Mais dans la page de l'agence tu ne mentionnais pas cette langue… seulement espagnol, français et anglais…

– C'est parce que, si tu mets russe, les clientes ont peur. Les gens ont peur de nous, les Russes.

– Mais, à moi, tu viens de me l'avouer.

Adam sourit. Toujours cette expression adorable et enfantine, irrésistible.

– Après ce qu'on a vécu ensemble ! En plus, c'est clair que tu es une femme du monde. Tu en sais plus que ces stéréotypes.

– Eh bien. Merci.

C'était flatteur, mais en vérité elle avait vaguement peur des Russes elle aussi. Elle se demanda si elle l'aurait choisi en sachant son origine.

– Attends un instant. Je vais apporter de la glace pour ces coups.

Elle alla dans la cuisine, un peu nauséeuse à cause du whisky, de l'adrénaline de la frayeur et de la présence enivrante d'Adam. Quel âge disait-il avoir ? Trente-deux ? Elle sortit du congélateur deux sachets de gel qu'elle utilisait parfois contre les migraines et les enveloppa dans des torchons. Elle retourna au salon. La beauté du garçon la frappa, comme si elle ne l'avait pas vu jusque-là dans toute sa splendeur. Elle devint nerveuse.

– Tiens, appuie ça sur ta joue avec ta main valide et donne-moi l'autre.

Le contact de sa peau lui donna la chair de poule. Il avait une main magnifique, même meurtrie. Elle plaça délicatement le sachet de gel autour de ses jointures. Si délicatement, en fait, que ses gestes ressemblaient à des caresses. Lorsqu'elle termina de nouer le torchon, elle releva la tête : Adam la regardait avec une telle intensité qu'il semblait vouloir voir à l'intérieur de son crâne.

– Tu es fou. Quelle idée de te jeter sur lui. Il avait un couteau ! Il aurait pu te tuer. Mais c'est très bien qu'ils l'aient pris. Tu es très courageux. Et tu sais te battre. Quels bons réflexes tu as. Je suis admirative, dit-elle, troublée.

L'homme soupira et déposa sur le canapé le sachet qu'il avait tenu sur son visage. Sa joue blessée le rendait encore plus séduisant. Les héros un peu cassés plaisent à beaucoup de femmes.

– Je viens de Niagan. Une petite ville de l'Oural. Il y a cinquante ans c'était un centre d'abattage. Imagine un peu. Maintenant ils vivent du pétrole et du gaz. Bon, en réalité je viens de Janty, un village à côté de Niagan. C'est là qu'il y a l'orphelinat où j'ai grandi. Là-bas, il y a des centaines d'enfants qui s'appellent Gelman, comme le Juif ukrainien qui dirigeait les lieux. C'était un endroit très pauvre. Comme il n'y avait pas assez de gens pour s'occuper de nous, ils accrochaient les biberons à un… comment ça s'appelle ? À une corde, non, à un ressort ! C'est ça, ils l'accrochaient à un ressort au-dessus de nos têtes. Il fallait que tu arrives à l'attraper et à te le mettre dans la bouche sinon tu mourais. Alors on n'avait pas d'autre choix qu'apprendre à survivre et développer de bons réflexes.

– C'est terrible, murmura Soledad, saisie d'effroi.

– Oui. J'imagine. Mais, tu sais, quand tu es enfant, quand t'as pas connu autre chose, tu crois que le monde est comme ça. Ça te semble pas si terrible.

Ils étaient très près l'un de l'autre. Soledad s'était assise sur le canapé, à côté de lui, pour placer le sachet sur sa main. Elle pouvait le respirer. L'émanation métallique du sang et, par-dessous, l'arôme puissant de sa chair. Une odeur chaude, musquée, masculine. Elle le regarda en se sentant petite et perdue. Ces yeux de la couleur du caramel qui brûlaient sous ses sourcils épais, cette chevelure noire qui nimbait son visage à la peau blanche. Elle le désirait, mais il ne fallait pas. Elle se sentait tomber irrésistiblement vers lui, mais c'était de la folie. Et, cependant, elle pouvait. C'était un gigolo, bon sang ! Elle n'avait même pas à se demander s'il serait d'accord. Il lui suffisait de se pencher et de lui manger la bouche. Cependant Soledad était incapable de bouger. Elle était paralysée. Se consumant et transformée en pierre.

Alors Adam tendit la main et passa le bout de son index sur sa joue. De haut en bas, tout doucement. Puis il caressa ses lèvres avec son pouce et les entrouvrit et mit son doigt dedans. Le corps de Soledad perdit tout à coup son squelette, elle s'amollit toute, se liquéfia, fondit. Il ne lui resta plus un seul os. Le gigolo attrapa sa nuque de sa main ouverte, cette main qui tenait puissamment sa tête de femme, et l'attira vers lui. Tout près, sur le point de tomber dans sa bouche, Soledad s'arrêta.

– Pourquoi est-ce que tu m'as raconté cette histoire d'orphelinat ?

– Pourquoi pas ?

Ce n'était pas la réponse qu'elle attendait. Elle, idiote, elle voulait aussi une caresse sur son âme, pas seulement sur son visage. Elle voulait qu'il lui dise : parce que je t'ai sentie très proche. Ce n'était pas la bonne réponse, mais les vannes étaient ouvertes, l'inondation imparable. Elle goûta la langue et la salive d'Adam et ressentit un vertige. Puis elle se mit à le dénuder lentement, à lui ôter peu à peu ses habits ensanglantés, comme dans un rite barbare d'initiation, une liturgie primitive de mort et de jouissance, de sacrifice et de sexe.

Adam s'endormit après avoir fait l'amour et Soledad écouta pendant des heures sa respiration douce et tranquille. Elle, au contraire, elle était possédée par le démon des nuits, par l'ogre des ténèbres, par un tourbillon de pensées lancinantes. Finalement, elle ne tint plus et se glissa hors du lit en prenant garde de ne pas le réveiller. Enfermée dans la salle de bain, elle se regarda dans le miroir et se trouva épouvantable, le maquillage coulé, les yeux enflés. Elle se démaquilla, se lava le visage à l'eau froide puis se remaquilla très légèrement, qu'elle ait l'air de ne rien avoir. Quelle guigne d'être vieille. Elle ne se risquait plus à la complète nudité de la peau.

Et tout ça pour quoi ? Pourquoi était-elle en train de se maquiller ? C'est un gigolo, Soledad, s'il te plaît ! se réprimanda-t-elle à haute voix, puis elle se couvrit aussitôt la bouche, terrifiée qu'Adam l'ait entendue. Elle entrouvrit la porte d'une fente : la respiration du garçon demeurait posée. Elle soupira. Il était six heures du matin.

Elle sortit de la salle de bain, se rendit dans son bureau et ranima l'ordinateur, qui était en veille. En s'allumant, l'écran montra une photo de Philip K. Dick. Un autre maudit possible. Elle entra dans le site d'AuPlaisirDesFemmes et cliqua sur l'onglet des tarifs. Une des pensées qui la torturaient était comment faire pour le payer. Les six cents euros jusqu'à la fin de l'opéra étaient clairs, mais… et pour après ?

Service Supérieur : 8 heures de compagnie, 900 euros.

Service Good Morning : 12 heures de compagnie, 1 200 euros.

Service Nuit et Jour : 24 heures de compagnie, 1 500 euros.

Bien. Elle lui avait donné rendez-vous à 19 h 30, donc si elle le réveillait et le faisait partir avant 7 h 30, elle serait dans le Good Morning. Soledad avait les mains moites et la bouche sèche. C'était si délicat, si gênant, comment avait-elle pu se fourrer dans une histoire pareille ? Elle voulait juste qu'il s'en aille. Qu'il s'en aille qu'il s'en aille qu'il s'en aille.

Elle n'avait pas assez d'argent chez elle et ne voulait évidemment pas lui faire un chèque. Elle alla sur la pointe des pieds jusqu'au dressing, enfila un jean, des bottes, un pull et un anorak, et elle sortit retirer l'argent à un distributeur. Dans l'ascenseur, elle se sentit à l'intérieur d'un mauvais rêve et, en franchissant la porte de l'immeuble, elle eut un de ces brefs moments d'étrangeté qu'elle éprouvait parfois : durant une poignée de secondes, elle ne reconnut pas les environs, sa rue, son quartier. Elle aurait tout aussi bien pu se trouver dans une colonie martienne de Philip K. Dick, ou dans une autre vie parallèle. Son cœur s'emballa ; puis Madrid reprit forme sous ses yeux et les coins de rue habituels se reconstruisirent. Elle respira profondément l'air glacé en essayant de se calmer. Il faisait encore nuit et les rues étaient plutôt vides. Elle marcha jusqu'au distributeur de la BBVA en se sentant fragile et affligée. Par chance, la banque se trouvait dans la direction opposée au magasin des Chinois, elle n'aurait pas supporté de revoir cette tache noire sur le trottoir. Avant d'insérer sa carte, elle regarda de tous les côtés : la ville était un territoire obscur et ennemi. Elle pianota à toute allure alors que la peur grandissait en elle. Elle revit la silhouette du junky se découpant à contre-jour avec ce couteau dégoulinant de sang à la main et un gémissement lui échappa. Les gargouillis de la machine s'éternisèrent : elle était sur le point d'avoir une attaque de panique. Enfin, le distributeur vomit ses billets et Soledad partit à toutes jambes. Elle courut aussi vite que possible jusqu'à l'entrée de son immeuble ; elle était si nerveuse qu'elle mit longtemps à trouver la serrure. Elle monta dans l'ascenseur déprimant, le souffle court. Je suis folle. Je suis folle.

Lorsqu'elle ouvrit la porte de chez elle, elle tomba nez à nez avec Adam. Il se tenait immobile au milieu du salon, à la regarder avec une expression étrange qu'elle ne sut déchiffrer.

– Tu es partie, dit le garçon.

Était-ce de l'inquiétude ? Peut-être l'expression d'une peur ? Il était pieds nus et dévêtu, mais il avait enfilé son caleçon, un boxer en coton bleu marine. Oui, on se sentait très vulnérable quand on avait les fesses à l'air.

– Je… j'étais descendue… chercher de l'argent au distributeur. Pour… te payer.

Elle pinça entre ses doigts mal assurés les six cents euros qu'elle venait de retirer et chercha ensuite l'enveloppe blanche dans son sac.

– J'ai… hum, calculé que, comme nous avions rendez-vous hier à sept heures et demie, c'est donc le tarif Good Morning, n'est-ce pas ? C'est-à-dire mille deux cents euros, non ?

Adam la regardait et ne répondait pas. Soledad devenait tellement nerveuse qu'elle sortit les billets de l'enveloppe, les joignit à ceux qu'elle venait d'obtenir et se mit à les compter. Mais qu'est-ce que je fabrique, qu'est-ce que je fabrique, se dit-elle, honteuse. Elle s'arrêta, sans savoir très bien comment se comporter, les euros tremblant dans sa main.

Le garçon jeta un coup d'œil à sa montre.

– Il est presque sept heures. Le tarif de douze heures. Je vois que tu veux que je file, dit-il avec un demi-sourire, plutôt une grimace.

– Non, ce n'est pas ça, c'est… tu veux déjeuner ?

– Non merci, répondit Adam.

Et il lui prit les billets des mains.

– Good Morning, dit-il en brandissant l'argent comme s'il portait un toast et avec un sourire beaucoup plus grand. Merci. Je vais m'habiller.

Soledad l'accompagna jusqu'à la chambre et l'observa pendant qu'il enfilait son jean. Ce corps spectaculaire, cette chair merveilleuse qu'elle avait respirée et léchée et embrassée.

– Je vais pas remettre la chemise. Elle est dure. À cause du sang séché. Quelle horreur. Jette-la, s'il te plaît. Ça aussi c'est taché, mais ça se voit moins, dit-il en enfilant sa veste sur son torse nu. En boutonnant la parka, on ne verra pas que je suis à moitié habillé.

Soledad le suivit comme un petit chien jusqu'au salon.

– Vraiment, tu ne veux pas un café ?

– Vraiment, merci.

Il se pencha vers elle et lui fit deux bises sur les joues.

– C'était très bien. Sauf le coup du Chinois, bien sûr. Si tu veux quelque chose, c'est mes coordonnées. Si tu m'appelles moi directement, j'ai pas à payer le site. Ils se mettent la moitié dans la poche sans rien faire.

Soledad prit le papier qu'il lui tendait. C'était un bout de bristol bon marché, une de ces cartes de visite de qualité inférieure faites instantanément dans les magasins de reprographie : Adam Gelman, Accompagnateur. Et un email et un téléphone.

– Ah, oui, bien sûr, bredouilla-t-elle.

– À la prochaine ! sourit le gigolo.

Et il s'en alla. Soledad était tellement paralysée qu'Adam dut ouvrir et refermer la porte lui-même.

Elle resta immobile cinq minutes au milieu du salon, plongée dans une sorte de transe ou de stupeur. Comme si, tout à coup, elle ne savait pas diriger sa vie. Comme si elle avait oublié la façon dont elle devait effectuer les tâches les plus élémentaires, manger, bouger, travailler.

Il était sept heures du matin et elle n'avait pas fermé l'œil. Ça aussi, ça la perturbait. Le sang noir du Chinois. La mort d'amour d'Iseult. Le gigolo. Elle pensa : il vaudrait mieux que je prenne un Valium et que j'aille dormir. Une semaine de sommeil. Un mois. Une vie.

Mais non, non, non. Elle était très en retard avec l'exposition. Elle avait beaucoup à faire. Fini les âneries, soliloqua-t-elle. Elle se prépara un café, prit quelques biscuits et alla s'asseoir devant l'ordinateur.

Philip K. Dick était orphelin lui aussi, d'une certaine façon. Ou pire qu'orphelin, car, lorsqu'il était enfant, son père partit un jour de la maison et ne revint plus jamais. Quand vous êtes à l'orphelinat depuis que vous êtes bébé, comme Adam, vous pouvez toujours croire que vos parents sont morts dans un accident. Ces parents qui vous aimaient tant mais qui ont brusquement été écrasés par l'express de nuit pour Vladivostok. Mais le geste d'un père qui s'en va et qui vous abandonne pour toujours ne peut être compris que d'une fichue manière : il se moque de vous, il ne vous aime pas, vous n'êtes pas digne d'être aimé.

Ce ne fut pas la seule tempête qui tourmenta Dick : sa vie fut difficile. Il naquit avec une sœur jumelle, Jane. Leur mère, débutante, ignorante et délaissée par son mari, brûla les bébés avec la bouteille d'eau chaude avec laquelle elle voulait réchauffer leur berceau. On les amena à l'hôpital et on découvrit qu'ils étaient sous-alimentés, car leur mère n'avait pas assez de lait pour tous les deux. Jane mourut à l'âge de quarante jours, davantage à cause de la faim que de ses brûlures. Dick pensa toujours qu'il avait trop mangé, qu'il l'avait tuée. On enterra la petite et on inscrivit son nom sur la tombe ; mais sur cette pierre étaient également gravés le prénom de Philip et la date de leur naissance, en prévision du jour où il rejoindrait sa sœur. Autrement dit, sa sépulture l'attendit patiemment toute sa vie durant, comme la bouche ouverte de la Mort. La Parque avait faim elle aussi.

Oui, Dick était un maudit parfait pour l'exposition. Ce serait merveilleux que l'Université d'État de Californie leur prête son manuscrit de *Les androïdes rêvent-ils de moutons électriques ?*, le roman qui avait inspiré le film *Blade Runner*… Mais Soledad ne voulait pas se faire trop d'illusions. C'était un livre mythique et l'obtenir serait difficile.

Et puis il y avait, bien sûr, sa schizophrénie. Au cours d'un congrès de science-fiction qui se déroulait en France en 1977, Philip K. Dick monta sur l'estrade et lâcha cette bombe : "Je vais vous dire une chose très sérieuse, très importante. Croyez-moi, je ne suis pas en train de plaisanter. Pour moi, faire une déclaration pareille est terrible. Voyez-vous, beaucoup de gens affirment se souvenir de leurs vies antérieures. Mais je vous assure que je peux, moi, me souvenir d'une vie présente différente." Soledad imagina la stupeur du public, le frisson. Un esprit brillant, un talent aussi énorme, en train de glisser publiquement vers l'abîme.

Il finit par mourir d'une attaque cérébrale en 1982, à l'âge de cinquante-trois ans, et la bouche avide de sa tombe réussit à l'avaler. C'est là que devait maintenant se trouver sa dépouille – imposante et lourde, car Dick était plutôt grand et à l'évidence gros –, mêlée aux frêles os de poulet de sa sœur bébé, de cette Jane qui était morte pour le sauver.

Un instant, se dit Soledad : c'était quoi ces os de poulet, pourquoi ces mots semblaient-ils éveiller un vague écho dans sa mémoire ?

Ah, oui. Les ciseaux à désosser les volailles avec lesquels Burroughs avait amputé la phalange de son doigt comme preuve d'amour pour son très jeune, possessif, frimeur et dangereux amant.

Soledad repensa au gigolo. Ce ne fut pas sa tête qui y repensa, mais son corps. Un brusque souvenir charnel et fébrile la fit se sentir à nouveau dans les bras musclés d'Adam. Dans sa chaleur et son pouvoir et ses assauts. Dans le refuge moelleux de sa poitrine.

Au bout du compte, tout finissait par déboucher sur de l'amour.

Et sur de la souffrance.

– Voilà, excuse-moi, Soledad, mais c'est le genre de coup de fil désagréable que je n'ai pas d'autre solution que de te passer. Cette fille, Marita, qui est apparemment une excellente architecte d'expositions, excellente, je ne sais pas ce qui lui a pris, je crois qu'elle est stressée parce qu'elle veut faire ça très bien ou je ne sais quoi, mais le fait est qu'elle est en train de faire tourner Triple A en bourrique, ce que, comme tu le comprendras, nous ne voulons pas voir se produire. Or, il se trouve qu'Antonio m'a écrit plusieurs fois en me laissant entendre que l'exposition n'était pas du tout claire pour lui, et il m'a appelée dans l'après-midi et il m'a dit qu'il ne comprend pas le concept de l'expo et que Marita, qui est une valeur indiscutable et montante et blablabla, elle lui a bourré le mou, ma grande, donc Antonio a dit que Marita ne le voyait pas non plus. Et comme nous ne pouvons pas nous permettre que notre bienfaiteur prenne la mouche avant même de commencer à être notre bienfaiteur, ha ha ha, je lui ai promis que tu allais lui envoyer un document dans lequel tu lui expliquerais plus longuement ton idée…

– Mais, Ana, pour l'amour du ciel ! Pour ça, il y a le projet.

– Oui, Soledad, très chère, mais, et en cela ils ont un peu raison, le projet est très court et reste un peu obscur. Alors, rends-moi et rends-nous à tous ce service, Soledad. Écris-lui deux ou trois pages, donne-lui quelques exemples, je ne sais pas moi, qu'est-ce que je peux te dire, tu sais mieux que personne comment faire ça et tu le feras magnifiquement bien. Je t'en prie, s'il te plaît.

Soledad, qui était une misanthrope exemplaire, détestait parler au téléphone et ne prenait pratiquement jamais les appels, mais là elle avait décroché parce qu'elle avait vu que c'était la directrice de la Bibliothèque nationale. Elle regrettait maintenant de l'avoir fait. Toutefois, cela revenait au même : Ana aurait insisté comme un termite jusqu'à ce qu'elle parle avec elle.

– D'accord. Je vais le faire. Ne t'inquiète pas.

Elle raccrocha, l'estomac noué par un pincement de panique. "En cela ils ont un peu raison, le projet est très court et reste un peu obscur." Soledad ne supportait pas les critiques parce qu'elle ne supportait pas l'échec. Elle était perfectionniste et le moindre défaut annonçait pour elle le début de l'effondrement, l'arrivée de la catastrophe toujours redoutée. L'échec était un loup affamé qui tournait autour d'elle depuis son enfance, un loup qui rôdait dans le désert glacé de sa vie et attendait son premier faux pas.

Et Soledad était si fatiguée… Marita était, au contraire, une valeur montante, comme le disait Triple A. À quarante ans, l'âge qu'elle devait avoir, elle était dans la plénitude. Elle, au contraire, elle avait commencé à décliner. Ou pire : elle devait déjà être en chute libre. Il suffisait de voir que, bien qu'étant la commissaire de l'exposition, la capitaine du bateau, c'était elle qui devait se plier aux exigences de Marita et d'Álvarez Arias et écrire ce texte stupide. Et si cette expo était la dernière qu'on lui confiait de sa vie ? La dernière fois que vous nagez dans la mer. La dernière fois que vous dansez avec quelqu'un. La dernière fois que vous faites l'amour. Sa décadence avait commencé quand elle avait perdu la direction de Triángulo, c'est-à-dire quand Miguel Mateu avait décidé de fermer le centre. Ce travail lui avait donné une visibilité sociale, de l'influence, une place. Mais maintenant elle avait quoi ? Peut-être qu'il ne lui restait plus rien à vivre. Juste rouler comme une boule de neige vers le bas de la pente.

En plus, elle avait peur de se retrouver à court d'argent. La vieillesse coûtait cher. Et subvenir aux besoins de Dolores aussi, même si celle-ci disposait d'une pension d'invalidité. En outre, Soledad avait investi dans son appartement presque tout ce qu'elle avait gagné. Elle gardait quelques économies, mais ce n'était pas grand-chose non plus.

Raison de plus pour oublier le gigolo.

Elle prit une profonde inspiration pour essayer de dissoudre le nœud de son angoisse. Bon, elle écrirait cette foutue explication une bonne fois pour toutes : Ana lui avait dit de l'envoyer le plus vite possible à Triple A. Le problème était que, comme d'habitude, elle avait très mal dormi ; même en se droguant, elle ne parvenait pas à plus de quatre ou cinq heures de sommeil, et cette nuit-là même pas. Il était cinq heures et demie et elle avait la tête lourde, engourdie. Bien que peu portée sur la sieste, elle décida d'essayer de dormir une heure, pour voir si ça lui éclaircissait les idées. Elle alla donc dans sa chambre, baissa le store jusqu'à plonger la pièce dans l'obscurité et, après avoir ôté ses chaussures, elle s'allongea sur le lit sans se déshabiller.

À peine eut-elle posé sa tête sur l'oreiller qu'elle sut que quelque chose n'allait pas, car elle se mit à entendre un carillonnement net à l'intérieur de son oreille, un tintement par battement de cœur, répétitif et gênant. Elle releva la tête et les volées de cloches s'entendirent moins, mais à présent qu'elle les avait remarquées Soledad continuait de les percevoir à l'intérieur, dans le flux de son sang, dans le pompage rythmique de son cœur. Elle se laissa retomber sur l'oreiller et le tintement s'accrut, résonnant sous son crâne. Elle s'effraya : mais qu'est-ce qui lui arrivait, c'était quoi ce truc. Elle allait avoir une attaque cérébrale, comme Philip K. Dick. Après tout, elle avait sept ans de plus que l'auteur américain lorsqu'il était mort. Ding ding ding, le sang dans son cerveau palpitait de façon assourdissante, de plus en plus vite, à mesure que son cœur s'accélérait. Du calme, du calme, s'exhorta Soledad : tu sais que tu es un peu hypocondriaque. Tu sais que toutes les semaines tu as l'impression de te découvrir une nouvelle tumeur. Mais non, elle n'était pas hypocondriaque : ses parents étaient morts d'un cancer, comment ne pas avoir peur ? Ding ding ding. Et maintenant il fallait ajouter le risque de l'accident vasculaire cérébral.

Elle pensa : et si je prenais un Valium ? Ou un Orfidal ? Pour faire baisser l'angoisse. Mais, bien sûr, si elle s'envoyait ça après avoir passé la nuit pratiquement sans dormir, elle allait avoir beaucoup de mal à écrire ce fichu texte. Et ses deux prochaines journées étaient remplies d'obligations. Un rendez-vous de travail avec Bettina, une conférence, un cours… Soit elle expédiait ce texte maintenant, soit Triple A mettrait trop longtemps à le recevoir.

Elle se leva et, les pieds nus, enveloppée de son carillonnement, alla jusqu'à la cuisine et fouilla le grand tiroir à pharmacie pour voir ce qu'elle trouvait. Elle décida finalement de prendre un bêtabloquant : cela baisserait ses pulsations sans lui embrouiller la tête, ou c'était ce qu'elle espérait. Elle retourna dans sa chambre en traînant les pieds et s'allongea à nouveau. En comptant les tintements, qui résonnaient à mort. Mais elle avait bien fait de prendre le bêtabloquant : les battements s'atténuèrent peu à peu. Quinze minutes plus tard, elle n'entendait plus qu'un crépitement sourd semblable à du morse. Peut-être que les acariens du matelas tentaient de communiquer avec elle. Après quinze minutes supplémentaires de messages indéchiffrables, et ayant perdu tout espoir de dormir un peu, Soledad se leva définitivement. Il était 18 h 40.

Lorsqu'elle alluma l'ordinateur, elle trouva un mail du site de rendez-vous. Elle l'ouvrit, interloquée : "Bonjour, Soledad. Nous aimerions savoir si tout s'était bien passé lors de votre rencontre avec votre accompagnateur l'autre jour. Salutations."

Elle ne put s'empêcher de ressentir une certaine désillusion. Mais tu t'attendais à quoi, bon sang ? se dit-elle à haute voix, irritée.

"Tout était parfait, merci beaucoup", pianota-t-elle.

"Nous sommes heureux de le savoir. Nous sommes à votre disposition quand vous le souhaitez. Salutations", répondirent-ils immédiatement. Ils devaient avoir quelqu'un attaché à l'écran comme un galérien.

Soledad soupira. Le texte. Il fallait qu'elle se concentre pour écrire le texte. Et proposer quelques exemples de maudits, comme Ana le lui avait dit. Elle était encore en train de confectionner la liste définitive des écrivains, mais il y en avait déjà quelques-uns qui étaient très clairs pour elle. Elle parlerait à Triple A de Pedro Luis de Gálvez, qui était l'écrivain maudit officiel de l'Espagne. Pauvre Gálvez, poète de la bohème du début du XXe siècle, plumitif de l'époque de la faim, qui fit toujours ce qu'il ne devait pas faire et fut poursuivi par une étoile noire. On a dit de lui qu'il allait dans les cafés avec son enfant mort dans une caisse pour demander de quoi l'aider à l'enterrer. Il nia l'histoire, sans doute à raison, mais il est pourtant vrai que l'enterrement de l'enfant dut être payé par un autre écrivain. C'étaient des temps très durs et le ventre de la bohème criait famine. Dans *Le Roman d'un écrivain*, Cansinos Assens racontait que les auteurs revendaient aussitôt les livres dédicacés que leurs amis leur offraient afin de se procurer de quoi manger : "N'était-elle pas célèbre déjà, cette phrase du grave Antonio Machado recevant *Soleil de l'après-midi* de Martínez Sierra : 'Soleil de l'après-midi, café du soir' ?" Adolescent, Gálvez, fils d'un général carliste féroce et très religieux, fut envoyé de force au séminaire, dont il s'échappa. Il entra ensuite de son plein gré à l'académie des Beaux-Arts, mais on le renvoya à cause de son obstination à séduire les modèles. Son père le mit dans une maison de redressement, un endroit cruel où il se fit anarchiste et finit par devenir un rebelle. Au sortir de la maison de redressement, il fut engagé comme acteur à la Comédie de Madrid, mais son père monta sur scène et lui roua le dos de coups de bâton, ce qui provoqua également son renvoi du théâtre. Il mendia, il écrivit, il se mit à taper sur tout le monde. On l'arrêta pour injures au roi et à l'armée, et on le condamna à six ans et six mois. À sa sortie de prison, nouvelle condamnation à quatre ans et deux mois pour un larcin de cent soixante-quinze pesetas et cinquante centimes. Beaucoup de prison pour un si petit délit, semblait-il, surtout quand on sait qu'il mourait de faim. Durant la guerre civile, anarchiste comme il l'était et crâneur, il se vanta d'avoir tué des milliers de fascistes. En réalité, il accueillit clandestinement chez lui un écrivain persécuté, en aida quelques autres à s'enfuir, intercéda pour qu'un troisième ne soit pas exécuté. Une fois la guerre finie, on lui fit un procès très sommaire, tellement rapide et irrégulier qu'il ne laissa pas le temps à ceux qu'il avait sauvés de le sauver. Il fut fusillé dans la prison de Porlier en avril 1940. Il avait cinquante-huit ans et mourut à cause de ses fanfaronnades. À cause de l'invention littéraire qu'il avait construite de lui-même. Bien sûr, il s'était gagné une place de choix parmi les maudits. Et la scène qui résumerait toute cette vie aberrante et disloquée serait, naturellement, le peloton d'exécution. À quel moment Gálvez avait-il déraillé ? Quand son destin s'était-il scellé de cette façon ? En s'enfuyant du séminaire ? En se radicalisant dans la maison de redressement ? Quoique, non : c'était la faute de son père. Ce père était insurmontable. Il y avait des pères qui étaient la perdition.

Le Chinois, Soledad s'était informée, était toujours dans un état très grave, mais on avait l'espoir qu'il s'en sorte. À quel moment l'homme qui l'avait poignardé s'était-il perdu ? Dans le passé de ce junky infâme, il y avait un enfant innocent, peut-être même aimé. Quelles décisions, quels choix l'avaient conduit à devenir cette brute ?

La main contusionnée d'Adam après avoir frappé l'assaillant. Les jointures enflées. Les mains d'Adam, l'une intacte et l'autre blessée, descendant sur le dos nu de Soledad et l'attirant vers lui, jusqu'à se fondre ventre contre ventre.

On sonna à la porte. 20 h 30. Bizarre. Elle espionna par le judas : Matilde, la concierge.

– Bonsoir, doña Soledad, voilà, je vais partir et comme je ne vous ai pas vue passer, je vous apporte cette lettre qu'un garçon a laissée il y a quelques heures. Je lui ai dit que je croyais que vous étiez là-haut, mais il n'a pas voulu monter.

Elle sentit un coup de chaud sur son visage et de froid sur sa nuque. La concierge l'observait avec une immobilité roublarde de commère. À coup sûr, elle a remarqué quelque chose, pensa Soledad avec irritation.

– Oui, merci, Matilde, c'est quelque chose du travail que j'attendais.

Elle referma la porta et s'appuya dessus. Mais pourquoi fallait-il qu'elle lui donne des explications ? Cela devait sembler encore plus étrange. Elle était stupide.

Elle soupira et retourna dans son bureau, la lettre à la main. C'était une enveloppe carrée de couleur crème, petite, comme pour des vœux de Noël. Elle était fermée et ne comportait pas d'expéditeur, seulement son nom à l'extérieur. Soledad Alegre. Stylo-bille bleu, lettres majuscules. Elle s'assit et déchira l'enveloppe. Dedans, une feuille blanche pliée.

> Bonjour Soledad, j'espere ne pas etre imprudant, mais la nuit a ete etrange et tres intense et je pensais a toi, depuis l'opera jusqu'a l'attaque angoissante que nous avons vecue ensemble et puis le reste, tout a ete special.
> Je voulais juste que tu le saches. Merci.
> Je t'embrasse,
> Adam
> PS : j'espere que le Chinois n'ai pas mort.

Pas un seul accent et deux fautes d'orthographe, *imprudant* et *ai*. De sorte que son magnifique espagnol devait être oral. Il n'avait pas dû l'étudier ni lire beaucoup.

Et pourquoi m'envoie-t-il ça ? se demanda-t-elle à haute voix.

C'était une lettre commerciale. Tout ce qu'il voulait, c'était garder sous la main une bonne cliente qui avait dépensé mille deux cents euros avec lui.

Ou pas. C'était une lettre émue, troublée. Il ne savait pas très bien lui-même pourquoi il l'écrivait. Peut-être qu'elle lui plaisait. Pourquoi pas ? Soledad avait ébloui Mario, jeune et beau.

Ou peut-être : c'était une lettre *imprudante*, en effet, très *imprudante*. Une lettre qui faisait un peu peur. Que cherchait-il, qu'espérait-il obtenir en se rapprochant à ce point ?

Virgen de Lourdes 26, 1er F. Elle aussi, elle savait où il habitait. Elle se souvenait du moment où le policier l'avait dit, puis en avait eu la confirmation au commissariat, lorsqu'elle était allée signer sa déclaration. Elle laissa la feuille sur la table, s'assit devant l'ordinateur et chercha l'adresse sur Google Maps. Quand la photo satellite apparut, elle reconnut immédiatement l'endroit : c'était l'un de ces horribles immeubles dortoirs du quartier de la Concepción. Une zone ouvrière de Madrid et des bâtiments surpeuplés que le cinéaste Pedro Almodóvar avait popularisés dans ses films. Elle n'était pas étonnée qu'il vive là, s'agissant d'un homme jeune, étranger et pas très riche. Son modeste logement devait à coup sûr être bien différent de l'appartement ancien, coquet et raffiné de Soledad. Pourquoi avait-il fallu qu'elle le fasse entrer chez elle ? Adam pouvait croire qu'elle avait beaucoup d'argent, ce qui n'était pas vrai. Il pouvait penser qu'elle était une mine d'or.

À quel moment un être humain se perdait-il ?

Pour un 9 novembre, ce dimanche était une journée tiède et lumineuse, et le parc du Retiro était bondé. Obéissant à l'inexorable loi que Soledad connaissait si bien, tout était en couple, bien entendu. Des couples seuls ou des couples avec enfants ou des couples avec chiens. Parfois, des couples avec deux chiens qui étaient peut-être eux aussi en couple. De même que les canards du bassin, et les tortues formaient sûrement des couples, et les pies habillées en pingouins, noires et blanches, qui allaient toujours par deux, *one for sorrow, two for joy*, comme disait d'elles la célèbre berceuse anglaise, en voir une présageait de la peine, en voir deux annonçait de la joie. Soledad était une fichue pie solitaire attristée et attristante.

On ne remarquait pas trop sa qualité de pie unique à présent, parce qu'elle était en legging, en tennis et en train de courir. Il y avait d'autres coureurs qui semblaient également faire bande à part, mais il convenait de ne pas trop s'y fier ; on voyait fréquemment des hommes seuls, en train de courir ou non, des hommes qui n'étaient pas mal ; mais leur femme apparaissait toujours quatre pas plus loin en train de virevolter, de s'occuper d'un enfant, d'un chien, d'une personne âgée, ou peut-être distraite par quelque chose, cette maudite épouse qui se trouvait toujours à côté, comme dans le cas des pies, car vous pouviez de temps en temps en voir une, mais aussitôt après un autre oiseau à la poitrine gonflée et palpitante atterrissait à ses côtés. Soledad pensait parfois que les hommes devaient être génétiquement incapables de rester seuls. *One for sorrow.*

Elle serra les dents et accéléra le pas. Elle était trop inquiète, trop angoissée. Elle voulait s'épuiser, transpirer, punir ce corps qui la tyrannisait. Adam lui manquait. Il lui manquait avec une acuité qui lui hérissait la peau. Au début, juste après l'étrange nuit de l'opéra, le trouble avait régné en elle. Au début, elle était résolue à ne plus jamais le revoir. Mais, à mesure que les jours passaient, une sorte de trou avait grandi à l'intérieur d'elle, une sensation de faim ou d'asphyxie, la certitude désolante d'être incomplète. Avec le temps, la folie de l'amour, du désir d'amour, avait commencé à s'allumer dans sa tête. Sans cette flamme éclairant ses jours, la vie lui semblait vide, ennuyeuse et absurde.

Stop ! cria-t-elle tout à coup, et un coureur qui venait en sens inverse la regarda avec surprise et réduisit un peu son allure, comme s'il ne savait pas s'il devait s'arrêter ou non. Soledad s'empressa de lâcher de bruyantes onomatopées plus ou moins rythmiques pour feindre qu'elle était en train de chanter – stop, stop, stooooop ! – et le type poursuivit son chemin, en l'observant avec un certain étonnement. Stop, stop pour de bon, se répéta Soledad, mentalement à présent et en serrant les lèvres ; arrête de penser à cet escort. Pense à autre chose. À ton foutu travail. Réfléchir en courant lui réussissait toujours très bien, son cerveau semblait fonctionner à la même vitesse que ses pieds, si bien qu'elle essaya maintenant, alors qu'elle trottait sur le pourtour du parc, de se concentrer sur l'exposition.

Soledad avait eu l'idée folle que l'exposition se déploierait selon une structure plus ou moins en spirale ; chaque personnage occuperait une place à lui, aurait un décor différencié, et le visiteur avancerait dans l'expo, il s'introduirait de plus en plus profondément dans le monde parallèle des maudits, dans l'étrangeté, par ailleurs si humaine, des personnages. Ce serait un voyage aux confins de l'être, un voyage que l'on ne peut faire que si l'on descend très profondément en soi. Elle voulait donc que son idée ait aussi une traduction spatiale ; que les spectateurs ressentent qu'ils entraient peu à peu dans le saint des saints. Mais, bien sûr, les spirales posaient une infinité de problèmes techniques, elles demandaient une salle immense, elles gaspillaient beaucoup d'espace et compliquaient le flux circulatoire : par où les visiteurs sortiraient-ils une fois arrivés dans la salle centrale ? Il faudrait que Marita puisse traduire ses idées en format tridimensionnel, mais Soledad craignait qu'il ne soit impossible de s'entendre avec elle.

L'entente. Voilà ce qui avait explosé entre eux. L'hameçon qui l'avait prise au piège. Adam était très beau et il avait un corps exceptionnel, mais ce n'était pas ce qui l'avait séduite. Il n'était pas plus expert ni plus fougueux que d'autres : Mario était tout aussi bon que lui au lit. En fait, le gigolo lui avait avoué qu'elle n'était que sa cinquième cliente, qu'il venait de débuter dans le métier. Non ; ce qui l'avait marquée, c'était la passion du garçon. L'émouvante sensation qu'Adam s'était donné à elle, qu'il avait véritablement besoin d'elle. Plus que d'un amant, Soledad ressentait le manque d'un bien-aimé.

Elle atteignit le point final du parcours qu'elle s'était proposé et, réduisant sa vitesse, elle trotta comme toujours vers la fontaine. Cinq ou six adolescentes en rollers riaient et buvaient en faisant un joyeux raffut. Assis sur le banc d'à côté se trouvait un vieil homme qui avait la maigreur décharnée de l'alcoolisme, un bonnet de marin enfoncé jusqu'aux sourcils, des yeux qui louchaient et un sourire épanoui auquel il manquait plusieurs dents.

– Vous êtes toutes belles ! Magnifiques ! Vous êtes toutes divines ! disait-il avec extase aux jeunes filles.

Il n'était pas agressif mais émouvant, avec son air innocent d'ivrogne. Pendant qu'elle attendait son tour, Soledad observa les patineuses : en réalité elles n'étaient pas belles, loin de là ; elles étaient plutôt informes et présentaient l'apparence maussade des adolescentes qui n'arrivent pas à s'aimer. Mais pour l'ivrogne, c'étaient des houris. Elle regarda l'homme avec plus d'attention, aussi frêle qu'un gnome, au sourire enfantin et absurdement galant, et elle pensa : lui aussi, il cherche l'amour. Pauvre, laid, vieux, édenté et alcoolique, il cherche l'amour comme tout le monde.

Elle sortit son portable de la poche de son sweater et écrivit un WhatsApp : "Bonjour Adam, c'est Soledad. Je me disais qu'on aurait pu se revoir. Es-tu libre dans la semaine ?"

Elle le lut. Le relut. L'effaça. Le réécrivit. L'envoya.

Ce n'était pas vrai que cela ne comptait pas pour elle, à quel point Adam était beau, ce corps puissant qui frôlait le miracle. Elle recommençait déjà à se raconter un stupide conte de fées. Soledad, malheureusement, n'aimait que les beaux garçons. Elle voyait parfois dans la rue des couples risibles en train de se câliner. Des types aux fesses tombantes et affreusement bedonnants que leurs petites amies contemplaient avec éblouissement, ou bien d'horribles géantes aux pattes gélatineuses auxquelles de minuscules petits amis très aimants se collaient, comme des rémoras accrochés à l'échine d'un cétacé. Soledad les enviait. C'est-à-dire qu'elle enviait leur capacité de résignation.

Le portable vibra. Il y avait une réponse : "Quelle joie ton message. J'ai envie de te voir. Quand tu veux."

Une des choses les plus ridicules impliquées par l'âge est la quantité de trucs, de potions et d'appareils avec lesquels nous tentons de lutter contre la détérioration : le corps se remplit peu à peu d'infirmités et la vie de complications.

On voit ça clairement lors des voyages : quand on est jeune, on peut parcourir le monde avec juste une brosse à dents et une tenue de rechange, alors que, quand on s'enfonce dans l'âge mûr, on doit progressivement rajouter une infinité de choses dans la valise. Par exemple : des verres de contact, des liquides pour nettoyer les verres de contact, des lunettes de vue de rechange et une autre paire de lunettes pour lire ; des ampoules de sérum physiologique parce qu'on a presque toujours les yeux rouges ; un dentifrice spécial et du collutoire contre la gingivite, plus du fil dentaire et des brossettes interdentaires, parce que les trois ou quatre implants qu'on a exigent alors des soins constants ; une crème contre le psoriasis ou contre la couperose ou contre les champignons ou contre l'eczéma ou contre n'importe quelle autre de ces calamités cutanées qui se développent toujours avec l'âge ; du shampooing spécial antipelliculaire, anti-cheveux gras, anti-cuir chevelu sec, anti-chute des cheveux ; une crème colorante parce que les cheveux blancs ont colonisé votre tête ; des ampoules contre l'alopécie ; des crèmes hydratantes, qu'on soit homme ou femme ; des crèmes nourrissantes, lissantes, raffermissantes, davantage pour ces dames, mais aussi pour certains messieurs ; des lotions anti-taches ; une protection solaire écran total parce qu'on a déjà pris tout le soleil qu'on peut supporter en une vingtaine de vies ; des onguents anticellulite pour le corps, côté femmes ; des tondeuses de poils de nez et d'oreilles, côté hommes ; des gouttières dentaires de nuit, parce que le stress fait grincer des dents ; des bandelettes nasales adhésives, gênantes et totalement inutiles, pour atténuer les ronflements ; des pilules de mélatonine, de l'Orfidal, du Valium ou tout autre médicament contre l'insomnie et l'anxiété ; avec un peu de malchance, une pommade anti-hémorroïdes pour ce qui va sans dire et/ou des laxatifs contre la constipation tenace ; de la vitamine C pour tout ; de l'ibuprofène et du paracétamol pour la diversité interminable des troubles qui parasitent le corps ; de l'oméprazole pour les gastrites ; de l'Alka-Seltzer et encore plus d'oméprazole pour la gueule de bois, parce qu'on ne tient plus l'alcool ; des compléments au soja parce que la ménopause fait baisser les hormones ; avec encore un peu de malchance, les pilules du cholestérol, de la tension, de la prostate. Et ainsi de suite, en somme. De l'équipement lourd.

Mais en définitive l'existence elle-même est un voyage, si bien qu'il n'est pas nécessaire de prendre une voiture ou un avion ni de se rendre dans une autre ville pour devenir l'otage de tout cet attirail prothétique. C'est ce que Soledad pensait ce soir, tandis qu'elle se préparait pour son deuxième rendez-vous avec Adam. À un certain âge, envisager de faire l'amour avec quelqu'un exigeait une planification et une intendance aussi rigoureuses que la campagne d'Afrique du général Montgomery. Et donc, la première chose que fit Soledad fut d'essayer la moitié de son armoire, aussi bien côté lingerie que vêtements, et d'évaluer son apparence par-devant et par-derrière à l'aide d'un miroir à main afin de voir son dos. Cet ensemble culotte et soutien-gorge couleur feu, tellement joli, ne faisait-il pas malheureusement ressortir un bourrelet inesthétique sur sa hanche ? Elle retira et enfila, se vêtit et se dévêtit, pendant que des scories d'habits rejetés grossissaient peu à peu autour d'elle, comme des liserés d'algues sur une plage. Elle finit par mettre son ensemble de lingerie en dentelle verte et, par-dessus, un chemisier en soie vert mousse, son pantalon gris perle à la coupe parfaite et ses bottines Farrutx à talons mi-hauts. Une fois le choix des vêtements approuvé, elle se redéshabilla entièrement et passa sous la douche. Elle se lava les cheveux et les enduisit copieusement de crème de soin ; puis elle passa de longues minutes à se consacrer à une minutieuse toilette corporelle en insistant particulièrement sur les orifices ; elle vérifia qu'il ne restait plus aucune trace de la crème hydratante vaginale qu'elle s'était mise la veille au soir et retailla ensuite les poils de son pubis, d'abord aux ciseaux puis avec de la crème à raser et un rasoir. Elle se fit saigner ; ça piquait. Elle sortit de la douche toute dégoulinante pour se regarder dans le miroir et vérifier qu'elle avait bien dessiné la ligne de poils. Eh bien non : elle l'avait mal faite et son pubis avait l'air tordu. À nouveau sous le pommeau de la douche, elle se rasa un peu plus et se coupa encore une fois. Elle jura. Finalement, elle parvint à ce que la chose présente une apparence pileuse plus ou moins acceptable, mais elle avait trois égratignures qui n'arrêtaient pas de saigner. Elle sortit de la douche, se sécha et plaça des petits bouts de papier hygiénique sur ses blessures, pendant qu'elle se coupait les ongles des pieds et des mains et refaisait son vernis couleur cerise. Elle demeura assise sur l'abattant des toilettes, nue, mouillée et glacée, pendant que ses ongles séchaient. Les coupures de son pubis brûlaient. Elle s'épila ensuite les sourcils, mit ses verres de contact, passa une lotion raffermissante sur ses jambes, sur ses bras ; elle appliqua ses crèmes hors de prix sur ses paupières, son visage et son cou. Elle sécha ses cheveux au sèche-cheveux ; comme la vague qu'ils faisaient sur le côté gauche n'arrivait pas à lui plaire, elle les mouilla à nouveau au lavabo et recommença à les sécher. Elle scruta avec méfiance la raie de sa chevelure dans le miroir et, même si ses cheveux blancs se voyaient à peine dans sa couleur dorée, elle décida d'utiliser un stick colorant qui camouflait les racines. Puis elle se maquilla avec soin, en recherchant un effet naturel et léger. Elle fit des bains de bouche répétés et un gargarisme avec un collutoire pour s'assurer d'une haleine fraîche. Elle vérifia que ses coupures au pubis ne saignaient plus, arracha les petits papiers et s'habilla avec l'ensemble de lingerie verte, le chemisier en soie, le pantalon gris. Les pieds nus, elle alla arranger la chambre. Elle avait besoin d'une lumière ténue et indirecte qui mette en valeur l'aspect de sa chair, si bien qu'elle passa une demi-heure à apporter dans la pièce toutes les lampes qu'il y avait chez elle et à tester différentes combinaisons : placées sur la table de chevet, par terre, recouvertes d'un mouchoir. Pour finir, elle décida de remettre toutes les lampes à leurs emplacements d'origine, de laisser la lumière du couloir allumée et de n'éclairer la chambre qu'avec quatre bougies. Choisir les quatre bougies et les soucoupes sur lesquelles les poser lui demanda encore un moment. La question de la musique prit également son temps : mettrait-elle la station d'accueil, qui ne fonctionnait qu'avec l'iPod ? Ou peut-être le haut-parleur sans fil, qui avait l'avantage de pouvoir se connecter avec l'iPhone, où Soledad gardait sa musique préférée ? Mais, bien sûr, la connexion sans fil était plus compliquée, il faudrait arrêter de s'embrasser et se concentrer sur la manipulation de l'appareil pendant quelques minutes. Elle choisit l'iPod et sélectionna le mode aléatoire. Puis elle courut au dressing et rapporta un court peignoir japonais à enfiler lorsqu'elle aurait à sortir du lit ; il était flatteur et très joli, et elle le plaça sur la chaise avec une négligence étudiée, comme si elle l'avait laissé là par hasard. À ce moment-là, et après sa petite course, elle dut reconnaître avec horreur que son sexe la picotait un peu. Elle avait sans doute coupé ses poils pubiens trop courts et donc, si drus, ils irritaient sa muqueuse délicate. Elle retourna dans la salle de bain et baissa son pantalon et sa culotte, sans savoir très bien quoi faire. Elle décida de s'enduire de crème hydratante vaginale ; mais elle fut ensuite prise d'un horrible soupçon et goûta une pincée de crème du bout de la langue. Elle avait un goût épouvantable. Elle n'eut pas d'autre solution que de se déshabiller entièrement et se doucher à nouveau, en essayant de ne pas mouiller sa tête ni faire couler son maquillage. Elle était très en retard : Adam devait être sur le point d'arriver, s'effraya-t-elle, transformée en paquet de nerfs. Une fois séchée sommairement à l'aide de la serviette, une lubie subite lui fit troquer sa culotte et son soutien-gorge verts pour l'ensemble gris perle. Mais, en réalité, pourquoi réfléchir autant à la lingerie, vu que la première chose que faisaient les hommes était de vous déshabiller ? À nouveau habillée et avec le bas qui la picotait irrémédiablement, Soledad se regarda dans le miroir et se trouva assez belle. Et ridicule aussi. Mais c'est un escort, un gigolo, nom d'un chien ! À quoi cela rime-t-il de perdre la tête comme ça et de se pomponner autant ? se cria-t-elle, exaspérée. Elle avait hurlé tellement fort qu'elle eut peur que le voisinage ne soit au courant. La sonnerie de l'interphone retentit : Adam. Certes, il était bien pire et beaucoup plus ridicule, pensa Soledad tout en cachant avec de grands gestes les tas de vêtements en trop dans l'armoire, il était bien pire et même pitoyable d'effectuer toutes ces singeries, installer les lumières, se nettoyer les orifices et se retailler le bas, dans le vain espoir de faire l'amour avec quelqu'un, pour ensuite rentrer seule et frustrée à la maison. Au moins, avec un prostitué, cela n'arrivait pas. Ce qui, tout bien considéré, était un soulagement.

Vendredi 21 novembre

A. vit seul, à en juger d'après sa boîte à lettres et ses déplacements. Depuis que j'ai commencé la surveillance, il y a quatre jours, il est toujours sorti entre huit et neuf heures du matin (8 h 42, 8 h 17, 8 h 37, 8 h 51), avec le pas pressé de quelqu'un qui arrive en retard, une fois même en courant (8 h 51). Sa destination était un petit atelier d'électricité situé au numéro 17 de la calle Virgen del Portillo, à quatre rues de chez lui. L'enseigne peinte accrochée au-dessus de la porte de l'atelier dit : Manolo l'Étincelle. Aujourd'hui, par contre, A. n'est pas apparu avant 13 h 26 et il est allé au bar MarySol, au 56 de la calle Virgen de Lourdes. Il est resté à l'intérieur jusqu'à 16 h 05. Il en est ressorti avec un paquet enveloppé de papier aluminium à la main, peut-être un sandwich. Il s'est arrêté au coin de la rue et il a regardé autour de lui comme s'il attendait quelqu'un. Il est resté debout, inquiet, pendant presque dix minutes. Puis il est rentré chez lui d'un air contrarié. Interrogé, le propriétaire de l'atelier, Manuel Rodríguez, alias Manolo l'Étincelle, *a dit textuellement : "Adam est un bon électricien, ça c'est vrai. Et il est pas bête ce garçon, et il parle espagnol vachement bien. Mais il est comme tous ces gamins, là, la nouvelle génération, qui sont paumés, qui savent plus travailler, qui croient que l'argent tombe des arbres et qui veulent plus rien foutre. Ils ont la tête farcie de toutes ces émissions de télé-réalité, ils croient que le premier abruti peut devenir célèbre et gagner un max de fric en montrant sa trombine. Je sais pas ce qu'ils vont devenir, ces gamins. C'est des putains de flemmards. Du coup, je l'ai renvoyé. Il arrivait tous les jours avec une heure de retard, alors,* hasta la vista baby. *Parce qu'il est bon, mais pas autant qu'il le croit. Et puis y en a d'autres, des électriciens aussi bons que lui, et qui bossent, en plus. Les Équatoriens, surtout. Les Sud-Américains bossent mieux. Nous, les Européens, on vaut plus un clou" (enregistrement fait avec l'iPhone). J'ai abordé Manuel Rodríguez en utilisant un prétexte et je ne crois pas qu'il soupçonne ce qui se cache derrière cet interrogatoire. Il ne semble pas non plus avoir connaissance des autres activités de A.*

Juste à la base du cou, sous la nuque, Adam avait deux cicatrices plus ou moins rondes d'un sale aspect. Deux pièces de monnaie difformes de peau rugueuse.

– Et ça ?

En temps normal, elles étaient cachées par les cheveux longs de l'escort, si bien que Soledad les avait découvertes au toucher pendant qu'ils faisaient l'amour. C'est-à-dire qu'elle avait senti quelque chose d'étrange et de rugueux sous ses doigts, quelque chose qui n'aurait pas dû être là. Plus tard, lorsqu'ils avaient fini, elle fit pencher la tête au garçon et les étudia avec attention. Adam haussa les épaules devant sa question.

– Je sais pas. Je les ai toujours. Je me souviens pas quoi c'est. Et personne a su me dire.

Parfois, dans l'espagnol presque parfait du Russe, se glissait une légère bizarrerie, une construction grammaticale dissonante qui semblait éloigner un peu d'elle le gigolo, comme si les mots défaillants indiquaient aussi une faille intérieure.

Soledad fronça les sourcils et passa un doigt précautionneux sur les marques. La peau durcie, les bords tendus des vieilles blessures. C'était sans doute le résultat d'une brûlure.

– Mais comment se peut-il que tu ne t'en souviennes pas ? Elles ne sont pas jolies à voir. Ça a dû te faire mal.

Adam se dégagea d'une bourrade farouche et s'assit sur le lit, les sourcils froncés.

– C'est la vérité, je sais pas. Ça a dû m'arriver quand j'étais très petit. Ces cicatrices ont grandi avec moi.

– Si ça se trouve, tes parents sont morts dans un incendie.

– J'aimerais bien. De beaux salauds. Mais je crois pas. Je sais qu'on m'a trouvé à la porte des urgences de l'hôpital de Niagan. Enveloppé dans une couverture. C'était en janvier. Un peu plus j'étais congelé.

Le garçon serra la bouche d'un air sombre. Ces lèvres fines et nerveuses. Soledad éprouva le désir presque irrépressible de les caresser, mais elle pressentit qu'Adam la repousserait et elle se retint. L'escort semblait avoir dressé un mur transparent autour de lui ; il était très loin d'ici. Il était en Russie. Soledad soupira et s'assit à son tour sur le lit, à côté d'Adam mais sans le frôler, attendant qu'il revienne. Elle connaissait bien le pouvoir oppressant de certaines pensées torturantes. Quand elles arrivent, elles vous prennent en otage. Même si, à dire vrai, ce soir le gigolo avait été un peu bizarre depuis le début. Un peu plus silencieux, plus taciturne.

"L'enfant est le père de l'homme", disait Wordsworth. Soledad se rappela ce vers et donna raison au poète : ce que nous sommes dans notre enfance construit la prison du destin de notre vie adulte. Il y avait l'exemple du grand Guy de Maupassant, qu'elle comptait inclure dans ses maudits. Maupassant fut abandonné par son père lorsqu'il n'avait que douze ans et passa toute sa vie à être ballotté émotionnellement et à rechercher l'amour avec une frénésie dissolue, ce qui l'amena à attraper une syphilis qui finit par le tuer à quarante-deux ans et qui, auparavant, avait eu la cruauté exquise de le rendre fou. Maupassant, comme Philip K. Dick, croyait également vivre plus d'une vie à la fois, il croyait être lui-même mais aussi un autre. Soledad imagina la possibilité magnifique d'obtenir le manuscrit de sa terrifiante nouvelle, *Le Horla*, qui racontait précisément la possession d'un homme par son double invisible ; le problème, c'est qu'elle ignorait où pouvait se trouver l'original, si tant est qu'il eût été conservé. C'était peu probable, car le texte avait été publié dans un journal, et ils avaient l'habitude de tout perdre dans les ateliers des anciennes imprimeries. Enfin, ils devraient faire des recherches. Elle regarda Adam du coin de l'œil. Le garçon demeurait pétrifié et silencieux, les bras fermement croisés sur sa poitrine.

– Tu veux manger un morceau ? Je crois que j'ai un peu faim. Je vais préparer quelque chose à grignoter… dit-elle, heureuse de l'idée qu'elle avait eue. Manger était l'un des remèdes traditionnels contre la douleur du deuil. S'alimenter remontait le moral.

Adam ne répondit pas, mais Soledad sortit quand même du lit et se couvrit aussitôt de son joli peignoir japonais.

– Je m'en vais, dit brusquement Adam sur le ton définitif de quelqu'un qui fait une déclaration de principe.

Et il se leva d'un bond.

– Tu t'en vas ? Attends un peu, je prépare quelque chose immédiatement.

– Non. Je m'en vais, répéta Adam tandis qu'il remontait son caleçon, son pantalon, tandis qu'il s'asseyait sur la chaise pour mettre ses chaussettes et ses chaussures. Avec une urgence de fugitif.

– Mais… tu t'en vas pour toujours ? demanda Soledad, déconcertée.

– Bien sûr que non. Quelle bêtise, dit-il d'un air irrité. Mais je suis très fatigué et demain je travaille de bonne heure.

– Tu ne m'avais pas dit que tu avais laissé tomber l'atelier d'électricité ?

– Je fais des trucs à mon compte. Beaucoup mieux. J'ai rien à donner à ce con d'Étincelle. Demain j'ai un job intéressant.

Adam parlait sans la regarder, il laissait tomber les paroles derrière lui tout en marchant dans le couloir sans se retourner. Soledad le suivit, pieds nus, emmitouflée dans son peignoir de soie, décrivant de petits bonds d'oiseau pour adapter son pas aux enjambées du Russe. Ils traversèrent le salon au pas de course et arrivèrent à la porte. Soledad, qui avait attrapé son sac au vol sur un fauteuil, prit le gigolo par le bras pour stopper sa fuite.

– Il faut que je te paie, dit-elle d'une voix rauque.
– Non. Aujourd'hui c'est la maison qui régale, grogna Adam.

C'était la quatrième fois qu'ils se voyaient, en comptant la nuit de l'opéra. Et il avait toujours empoché avec naturel les trois cents euros du tarif minimum, bien qu'il se soit montré assez généreux avec les heures. Évidemment, à part la première nuit, il n'était jamais resté dormir.

– Non, non, pas question, je te paie, dit Soledad tout en fouillant nerveusement dans son sac avec sa main libre.
– Je te dis que je te fais pas payer !

Adam tira sur son bras pour se dégager, mais elle l'agrippa encore plus fortement.

– Tiens, voilà tes trois cents euros… balbutia-t-elle, en essayant de glisser l'argent dans la poche de sa parka.
– J'en veux pas ! Fous-moi la paix ! J'en veux pas ! rugit Adam en capturant le poignet de Soledad dans son énorme poing.

Les billets tombèrent par terre. Ils se regardèrent consternés. Durant une seconde immobile, il n'y eut rien d'autre que le silence.

– Tu… me… fais… mal, marmotta Soledad.

Adam la relâcha. Il passa sa main sur son visage, lentement, en appuyant comme s'il avait voulu gommer ses traits. Il avait une expression épuisée, déconcertée.

– Pardon. Je suis vraiment désolé. J'ai eu une sale journée.
– Ce n'est pas grave. Je n'aurais pas dû insister, répondit-elle.

Nous voilà maintenant en train de jouer aux courtoisies versaillaises, pensa Soledad. Et, dessous, un abîme.

Adam la regarda :

– Tu sais quoi ? On était deux.
– Qui était deux ?
– À la porte des urgences de l'hôpital. Dans la couverture. Des vrais jumeaux. Ou des faux.
– Des jumeaux, balbutia Soledad.

– Enfin, je sais pas si des vrais ou des faux. Mais l'infirmière qui nous a trouvés a gardé l'autre. Elle a adopté l'autre. Et moi on m'a mis orphelinat.

Ils restèrent silencieux un instant, ruminant chacun sa petite pensée incandescente.

– Autrement dit, on m'a rejeté deux fois. Mes parents. Et ensuite l'infirmière. Pourquoi ?

Il le demandait avec une naïveté authentique, avec un véritable besoin d'obtenir une réponse. La vie était décidément bizarre : ils étaient là tous les deux, debout, à côté de la porte, en train de parler des choses les plus profondes comme en passant, quelques mots lâchés avant de partir. Les sujets véritablement importants, Soledad le savait bien, ne pouvaient être nommés qu'ainsi, de biais, évasivement, en décrivant des cercles prudents autour du grand silence.

– Sûrement qu'elle n'avait pas assez d'argent pour s'occuper des deux.

– Mais elle a préféré l'autre, insista-t-il. C'est l'histoire de ma vie. *V sémié ne bez ouroda*, il n'y a pas de famille sans un monstre, c'est un proverbe russe. Je suis ce monstre. Personne ne m'a jamais aimé.

– Ce n'est pas possible. Tu es très beau, séducteur, charmant…

– Je te dis la vérité. Je suis désespéré. C'est une douleur constante. Ce besoin d'amour. Je suis aussi allé voir un psychiatre, mais rien. Toutes les femmes m'ont quitté.

– Alors, sans doute que tu les choisis mal. Je suis sûre qu'il y a eu beaucoup de femmes mortes d'amour pour toi.

– Peut-être, mais aucune ne m'intéressait. Elles ne comptent pas.

Soledad sentit un pincement désagréable dans son autoestime : elle devait sans doute appartenir au collectif des inintéressantes. Elle n'était qu'une cliente et avait presque le double de son âge. Elle se pencha, ramassa les billets et les rangea dans son sac.

– D'accord, j'accepte ton cadeau. Merci beaucoup, Adam.

Certes, il ne lui avait pas fait payer la soirée. Un gigolo qui ne se fait pas payer était-il encore un prostitué ? Ou bien ce soir avait-il été son amant ?

– Mais laisse-moi au moins te préparer quelque chose à dîner. Allez, assieds-toi dix minutes. On mange un morceau vite fait et après tu t'en vas.

Le Russe hésita. Puis il haussa les épaules et retira sa parka.

– D'accord. Merci.

Soledad courut à la cuisine, ouvrit et referma bruyamment tiroirs et placards, sortit un sachet de jambon emballé sous vide, un assortiment de fromages, une boîte de pâté. Interné dans un asile de fous et harcelé par son autre ténébreux, par ce double infernal qui le terrifiait, Guy de Maupassant tenta de se trancher la gorge avec un canif. Il fallait beaucoup de désespoir, beaucoup de détermination et une immense quantité de souffrance pour décider de s'égorger, pensa Soledad tout en coupant le pain : ce n'était absolument pas une tâche facile. Maupassant réussit à se faire trois entailles, mais il ne se tua pas. Il décéda un an et demi plus tard, toujours à l'hôpital, sans avoir recouvré la raison un seul instant. Somme toute, on voit que son double avait fini par le posséder. Elle prit deux verres à pied et décida d'ouvrir un Pontac des caves Luis Alegre, cuvée 2010. Un rioja formidable qu'Adam ne saurait probablement pas apprécier. Ou peut-être que si. Elle plaça le tout sur un plateau et retourna au salon. L'escort était sur le canapé, plongé dans ses pensées. Elle s'assit à côté de lui et posa le plateau sur la table centrale. Elle servit le vin. Adam vida son verre d'un trait. Non. Il n'allait pas l'apprécier.

– Je sais que je suis pas idiot, mais j'ai l'air d'un idiot. Je tombe amoureux de toutes les femmes. Je suis comme un enfant. Un enfant idiot. C'est ce foutu besoin.

– J'appelle ça l'effet Chérubin.

– C'est quoi ?

– Chérubin est un personnage des *Noces de Figaro*. Un opéra de Mozart. C'est un page de quinze ou seize ans qui tombe amoureux de toutes les femmes. Une damoiselle passe sur scène, et il court après ; mais voilà qu'il croise la comtesse, et Chérubin tombe à ses pieds au premier regard. Et c'est pareil avec Suzanne, l'héroïne. Robe qui bouge près de lui, robe qui flotte comme un drapeau dans son cœur.

Adam sourit et se servit davantage de vin.

– Tu es drôle. Le coup du drapeau dans le cœur, c'est bien vu. C'est ce qui m'arrive à moi. Tu parles très bien. Bien sûr, maintenant beaucoup de femmes portent des pantalons.

Il conclut son commentaire cocasse d'un petit éclat de rire. L'escort semblait se détendre pour la première fois de toute la soirée. L'alcool aidait aussi, bien sûr.

– Merci.

Ils mâchèrent un instant en silence.

– Tu n'es pas idiot, dit Soledad. Je pense parfois que c'est essentiellement le besoin d'amour qui fait tourner le monde. J'ai vu il y a peu un magnifique opéra de Britten sur ça. *Mort à Venise*. Tu as entendu parler de *Mort à Venise* ?

– Non.

– C'est un roman d'un écrivain très célèbre, décédé maintenant : Thomas Mann. Il a gagné le prix Nobel. Puis on en a aussi fait un film très connu, réalisé par Visconti. Mais je voulais te parler de l'opéra. Je l'ai adoré. Le héros est un écrivain célèbre d'Europe centrale, un homme âgé, traditionnel et sérieux. Tout se passe au début du XXe siècle. Il s'appelle Aschenbach. Il s'habille très sobrement, c'est l'incarnation même de la respectabilité. Et il se trouve qu'il est bloqué dans l'écriture de son roman et qu'il décide de passer l'été à la plage, au Lido, à Venise, pour voir s'il retrouve l'inspiration. Sur le bateau, il voit un vieil homosexuel, braillard, efféminé, avec des habits très tape-à-l'œil et tout maquillé. Aschenbach en est écœuré. Mais il arrive enfin au Lido, et il s'installe au Grand Hôtel et il descend à la plage, tout habillé, s'asseoir sur une chaise, comme les gens de la bourgeoisie faisaient en ce temps-là. Et sur la plage il découvre un adolescent d'environ quatorze ans, blond, élancé, la tête pleine de boucles que le vent décoiffe.

Il est polonais, il est à l'hôtel avec sa mère et ses sœurs et il s'appelle Tadzio. Il est très beau. Pense à l'animal le plus beau que tu puisses imaginer et Tadzio est comme ça. Un jeune cerf. Et sa vue blesse Aschenbach comme un éclair. Il se retrouve pris, envoûté, amoureux.

– Alors il était homosexuel ?

– Non. C'est-à-dire qu'il ne se l'était sûrement jamais permis. C'est un personnage de la haute société, rigide et formel et très conventionnel. L'auteur du livre, Thomas Mann, vivait quelque chose de semblable, c'était un homme très célèbre et obsédé par la respectabilité. Il était marié et avait des enfants mais il était attiré par les hommes, cependant je crois qu'il ne s'est jamais autorisé à les aimer. De là que *Mort à Venise* ait beaucoup à voir avec sa propre vie. Et c'est exactement ce qui arrive à Aschenbach, il ne veut pas se reconnaître. C'est pour ça que, lorsqu'il voit Tadzio, il est terrifié par la force de ses sentiments. Non seulement il s'agit d'un homme, mais en plus c'est un enfant, une passion doublement infâme et interdite. Mais il ne peut empêcher son cœur de s'enflammer. Il finit le premier acte en criant un déchirant je t'aime. En le criant à l'air, à personne, à lui-même. Simplement en l'admettant.

Adam avait cessé de manger et la regardait, fasciné, sans cligner des yeux, on aurait presque dit sans respirer, pris par son récit. Soledad se sentit puissante, elle se sentit séductrice. C'était quelquefois arrivé aussi avec Mario. Elle l'avait quelquefois vu en train de boire ses paroles. La directrice de la bibliothèque avait peut-être raison quand elle disait qu'elle était très narrative. Si seulement elle était capable d'écrire. Si seulement elle était un peu moins lâche et avait l'audace d'écrire un livre…

– Alors les choses se compliquent parce qu'une épidémie de choléra éclate à Venise. Les autorités tentent de la dissimuler parce que c'est une ville touristique, mais la maladie progresse. Le barbier informe Aschenbach de l'épidémie et lui conseille de quitter Venise avant d'être contaminé ou qu'une quarantaine soit imposée. Mais Aschenbach n'arrive pas à imaginer ne plus voir Tadzio. D'ailleurs, c'est tout ce qu'il fait, le regarder de loin. Il sait que c'est une passion interdite. Il sait qu'il ne pourra jamais en faire une réalité. Il ne parle jamais avec l'adolescent. Pas un seul mot. Il le regarde simplement. Et le fait est que les touristes les plus futés commencent à partir, mais la mère de l'enfant, qui ne comprend pas l'italien, ignore qu'il existe une épidémie et reste au Lido. Aschenbach se dit qu'il devrait la prévenir pour qu'ils s'en aillent. Mais il ne le fait pas. Il est en train de mettre en danger la vie de son bien-aimé et sa propre vie. Le Grand Hôtel se vide peu à peu, tandis qu'Aschenbach descend pas à pas tous les échelons de son désespoir et de son tourment. Le barbier lui teint les cheveux et le maquille, louant son apparence juvénile. Mais il n'a pas l'air juvénile, plutôt pitoyable, un vieil homosexuel ridicule peinturluré et pomponné, comme celui qu'il avait vu au début de l'opéra sur le bateau et qu'il avait exécré. Aschenbach a tout sacrifié pour Tadzio, son prestige, sa carrière, sa réputation. Y compris le respect qu'il avait pour lui-même. Il a tout sacrifié en échange de rien, juste pour pouvoir entrevoir sa beauté, juste parce qu'il l'aime. Les jours passent... Tous les hôtes de l'hôtel sont partis et la mère du garçon est finalement en train de préparer leurs valises. Tadzio est sur la plage pour la dernière fois ; Aschenbach, malade et très affaibli, s'assied dans l'un des transats et contemple son bien-aimé qui s'éloigne en direction de la mer. Et c'est ainsi, en le regardant, qu'il meurt.

– Aschenbach meurt ?

– Oui, il meurt là, tout seul, dans l'une de ces chaises longues à rayures prétendument joyeuses mais qui sont maintenant d'une tristesse infinie parce que toute la plage est vide, et il meurt dans son costume ridicule et tape-à-l'œil et avec tout son maquillage à moitié coulé de vieille folle.

Adam hocha la tête avec un air d'approbation.

– Amour et mort. Je comprends très bien. J'ai essayé de me suicider à l'école. J'étais amoureux d'une camarade de classe qui se moquait complètement de moi. Je me suis coupé les veines mais peu. Je crois que je voulais juste attirer l'attention. J'avais quatorze ans, l'âge du garçon polonais.

Les confidences d'Adam émurent Soledad. Elles l'enivrèrent même un peu, car elles augmentaient l'intimité entre eux, la complicité, le lien affectif. La tendresse lui monta à la tête comme un vin pétillant. Elle tendit la main et caressa doucement la joue du Russe.

– Mon pauvre Tadzio, murmura-t-elle.

Adam avait les yeux très brillants et elle savait que ses propres yeux étincelaient aussi. Elle le sentait. On pouvait presque voir les feux d'artifice, l'arc voltaïque qui était en train de se former entre le gigolo et elle. Adam la prit par les épaules, l'attira vers lui et l'embrassa. Ces lèvres, cette langue, cette salive délicieuse, ce souffle qu'elle aspira avec avidité. C'était le meilleur baiser de sa vie. C'était le premier baiser de la création. Le Russe lui arracha son peignoir japonais avec une adorable violence. Dessous elle était nue, si nue, offerte et ouverte pour lui. Mais, alors qu'Adam la serrait contre sa poitrine, Soledad pensa que les rideaux étaient ouverts, que les voisins d'en face pouvaient les voir, que ce serait un scandale ; en plus, il y avait trop de lumière dans le salon : son corps âgé allait sauter aux yeux. Et le temps d'un instant, avant de se laisser tomber dans la chair de l'autre, Soledad se demanda : alors, c'est à moi que revient le rôle d'Aschenbach ? C'est moi qui suis la vieille folle peinturlurée ?

Une des rares choses positives quand on vieillit, la seule probablement, c'est la certitude qu'on ne va plus devenir fou, pensa Soledad, l'humeur maussade. Elle voulait dire complètement fou, incapable de contrôler sa vie ou son destin. Se perdre un matin pour toujours. Comme s'était perdu Guy de Maupassant. Ou comme Dolores.

"Dieu, avant de détruire ses victimes, les rend folles", disait Euripide. On devrait écrire cette phrase sur le linteau de tous les hôpitaux psychiatriques, cliniques de santé mentale, hospices, asiles d'aliénés et maisons de fous du monde entier, murmura-t-elle. Elle leva les yeux et regarda l'enseigne lumineuse qui se trouvait sur la porte de la résidence de Dolores : LE JARDIN. MAISON DE SANTÉ.

Le jardin en question consistait en quelques centaines de mètres carrés de pelouse qui allaient du bâtiment jusqu'à la grille métallique peinte en vert. Il y avait quatre bancs en bois composite et quelques plates-bandes décaties qui donnaient généralement des fleurs au printemps. Pendant l'été brûlant, on installait des parasols à côté de chaque banc. Des modèles de plage, en toile, aux rayures joyeuses. Comme la chaise longue du Lido qu'Aschenbach à l'agonie avait tachée de son maquillage poisseux.

D'après Freud, le sinistre est l'irruption de l'horreur dans le quotidien. Comme la mort en plein soleil dans une guillerette chaise de plage. Ou comme deux petites filles de cinq ans tournant gaiement sur un manège. Soledad sur un siège en forme de chiot, Dolores à côté dans un cygne blanc et ventru au bec doré. La ritournelle jouait, les animaux montaient et descendaient doucement, les ampoules s'allumaient, le monde tournoyait autour d'elles. Que c'était drôle. Le voyage s'acheva, mais par chance elles n'étaient pas obligées de redescendre déjà, elles pouvaient continuer encore un peu. Le manège redémarra. La musique, les lumières, le chiot à langue rouge, le cygne aux ailes arquées. Nouvel arrêt. Les autres enfants descendirent, changèrent, il y avait maintenant une fillette blonde sur le cochon, une gamine toute petite sur le chat noir. Encore des tours. Ce n'était plus aussi drôle, ça ne faisait plus rire autant. Dolores regardait autour d'elle, Dolores cherchait avec un peu de peur, avec un peu d'angoisse, mais le monde bougeait tellement qu'elle ne pouvait rien voir et, en plus, elle commençait à avoir mal au cœur. Et Soledad aussi. Au voyage suivant, elles pleurnichaient toutes les deux, d'abord Dolores, puis Soledad. Trois trajets plus tard, les employés les repêchèrent du chien et du cygne. Ce manège était l'endroit que leur père avait choisi pour les abandonner, après avoir payé plusieurs tours d'avance.

Dolores, sa jumelle.

Soledad se flattait d'avoir un esprit rationnel. Elle avait toujours essayé de s'agripper aux mâts solides de la logique afin que le vent du chaos ne l'emporte pas. Malgré tout, il lui semblait cependant apercevoir quelquefois des signes confus que le monde lui envoyait, des messages chiffrés qu'elle s'empressait de dédaigner. Les coïncidences, surtout. Les coïncidences étaient toujours inquiétantes. Par exemple : quand elle avait su qu'Adam avait lui aussi un jumeau, elle avait ressenti un frisson. Comme s'il s'agissait d'un avertissement du destin. Une preuve qu'ils étaient prédestinés.

Sottises, grogna-t-elle à haute voix, en regardant distraitement le banc le plus proche : il était taché de crottes de pigeon et vide, comme tous les autres de ce petit jardin en ce froid mois de décembre. Sottises, répéta-t-elle. Pur hasard.

En définitive, il naissait des jumeaux identiques, univitellins, tous les deux cent cinquante accouchements. Ce n'était pas si rare. En plus, dans le cas d'Adam il s'agissait peut-être d'un faux jumeau, un frère né d'un autre ovule. Ceux-là étaient beaucoup plus abondants : trente-deux accouchements sur mille. Soledad soupira et regarda une nouvelle fois la porte de la résidence. Allez. Allons-y. Inutile de tergiverser davantage. En avant.

Sauf lorsqu'elle était en voyage, elle venait voir Dolores une fois par semaine. En principe le mercredi après-midi. Elle ne reconnut pas la fille qui se trouvait aujourd'hui à l'accueil. Ils changeaient souvent de personnel à la résidence ; c'était un travail ingrat et ils payaient mal.

– Dolores Alegre ?

– Elle est dans le jardin d'hiver.

Il ne s'agissait pas d'un vrai jardin d'hiver, mais d'une vaste salle aux plafonds hauts et aux grandes baies vitrées. C'était un espace assez joli, à l'exception des patients. Le *Jardin* était spécialisé dans les malades aux troubles mentaux sévères et, surtout, dans ceux qui avaient longtemps été hospitalisés à l'époque féroce des asiles d'aliénés avec entraves. Adolescente encore, Dolores avait reçu des électrochocs et était restée de longues années internée par leur mère dans des hôpitaux psychiatriques très durs. Soledad l'avait sortie de cet enfer, mais sa sœur était déjà trop esquintée à l'époque pour pouvoir vivre avec une certaine autonomie. Le *Jardin* était supposé être un endroit aimable, moderne et protecteur. En réalité, un lieu épouvantable, comme tous les autres. Les jumeaux d'une personne atteinte de schizophrénie avaient quarante-huit pour cent de chance de développer la maladie. Soledad avait vécu dans l'effroi année après année. Mais la vieillesse, qui vous prenait tout, vous donnait au moins ceci. Une petite certitude raisonnable que la mer démontée de la folie ne vous engloutira plus.

– Bonjour, Dolores, ma chérie. Comment vas-tu ?

– Bonjour, Soledad. Bonjour, Soledad. Bonjour, Soledad.

Allons bon, aujourd'hui elle était en mode répétitif. Tant mieux. Il y avait des après-midis où elle ne disait pas un mot, où elle ne semblait même pas présente. Autour d'elles, il y avait des hommes et des femmes d'âges variés, la plupart de plus de quarante ans, répartis aux tables et dans les canapés. Certains seuls, en train de regarder la télévision, ou de jouer avec une sorte de casse-tête qui semblait fait pour des enfants mais qui, apparemment, était ingénieusement conçu pour éveiller et entraîner les esprits torturés, ou simplement posés sur une chaise, absents, plongés en eux-mêmes. D'autres bavardaient ou disputaient une partie de cartes. Ça sentait le parfum d'ambiance sirupeux, de ceux des centres commerciaux. Une ombre de tristesse tombait sur tous comme un voile fin. Mais peut-être était-ce une fausse impression, se dit Soledad. Peut-être que la seule personne triste dans cette salle, c'était elle.

– Tiens. Je t'ai apporté les bonbons que tu aimes.

– Hummm. Je les aime. Ils sont si bons. Je suis très bien ici.

– J'en suis heureuse.

– Tu es heureuse de quoi ? De quoi ? Hein ? De quoi ?

– Que tu aimes les bonbons que je t'ai apportés. Que tu sois bien ici.

– Je suis bien ici. Mais j'aimerais mieux être ailleurs.

Elle ne lui ressemblait pas. Plus maintenant. Ses yeux gris n'avaient pas de lumière. C'était comme deux flaques d'une sale journée de pluie. Sa peau était flasque. Son corps abattu. C'était une vieille femme. N'importe qui lui aurait donné vingt ans de plus qu'à elle. En les voyant ensemble, les gens devaient croire que sa sœur était sa mère. En réalité, Dolores ressemblait maintenant pour de vrai à leur mère à toutes les deux. À cette cinglée qui les enfermait dans une armoire lorsqu'elle sortait – et elle sortait tout le temps –, soi-disant pour qu'elles ne se fassent pas mal. À cette mauvaise femme. Il fallait être méchante pour les appeler Soledad et Dolores*. Et le pire, c'est qu'elles avaient toutes les deux obéi à la terrible injonction de leur prénom. Elle, toujours si seule. Et Dolores, plongée dans la douleur psychique, qui est la plus cruelle de toutes.

* "Douleurs" en espagnol.

Parfois, dans ses meilleurs moments, Soledad n'était pas étonnée que leur père ait pris la fuite. Elle comprenait qu'il n'ait pas pu supporter davantage cette femme toxique. Mais, aujourd'hui, elle n'était pas dans un de ses meilleurs moments. Aujourd'hui elle pensa : non seulement tu nous as abandonnées, salopard. Mais en plus tu nous as abandonnées avec elle.

Petites, elles étaient identiques. Véritablement indistinguables. Comme dans cette histoire que Mark Twain raconta à un journaliste. Twain expliqua qu'il avait eu un frère jumeau, Bill, tellement ressemblant qu'on devait leur attacher des cordons de couleur aux poignets pour savoir qui était qui. Cependant, il se trouva qu'un jour on les laissa seuls dans la baignoire et l'un des deux enfants se noya. Mais, comme les cordons s'étaient détachés, "on n'a jamais su lequel des deux était mort, de Bill ou de moi" expliqua-t-il placidement au journaliste. Eh bien, elles avaient été ainsi. Tellement identiques que personne ne pouvait les différencier. Seule leur mère se vantait de pouvoir le faire, mais ce n'était pas vrai : elle les avait confondues plusieurs fois, mais elles s'étaient bien gardées de le lui dire. Or, cela conduisait à une indétermination vertigineuse. Car comment savoir si leurs identités étaient les bonnes ? Peut-être les avait-elle échangées un millier de fois étant bébés. Peut-être elle n'était pas Soledad. Peut-être qu'en réalité elle était Dolores. Peut-être sa jumelle était-elle devenue folle à sa place pour la sauver.

Je n'aurais pas dû venir, rumina Soledad qui se sentait comme une idiote avec son whisky à la main. Elle avait toujours été médiocre en *small talk*, le bavardage insignifiant, la conversation fausse et banale des rendez-vous mondains. En fait, elle ne se rendait plus dans ce type d'événements depuis des années ; mais elle avait maintenant commencé à soupçonner qu'elle restait à la traîne, que le monde avançait et qu'il la marginalisait peu à peu, que la machinerie professionnelle était sur le point de la recracher comme un os rongé, un résidu inutile ; et tout ceci l'avait amenée à décider, quelques heures plus tôt, chez elle, que se laisser voir un peu lui serait bénéfique. Mais elle n'en était plus aussi sûre à présent. Les gens qui l'intéressaient vraiment ne semblaient pas la voir, et ceux qui l'approchaient la saluaient et rebondissaient sur elle en s'éloignant immédiatement, comme des acrobates de trampoline profitant de leur élan pour atteindre un petit groupe plus intéressant. Soledad était seule comme tant d'autres fois, Soledad solitaire debout à côté de la table des boissons, à observer le salon où l'on célébrait le lancement de la revue *ART&FACT*, un luxueux bimensuel édité par les principaux galeristes espagnols, Marlborough, Senda, Ivorypress et deux ou trois autres poids lourds, qui avaient décidé de laisser pour une fois leurs rancœurs de côté pour se transformer en promoteurs d'une revue qui vendrait l'œuvre graphique originale de leurs artistes à chaque numéro. Une stratégie de plus pour esquiver les morsures de la crise.

Elle observa avec découragement l'assistance, la fine fleur du monde de l'art. En réalité, cette marginalisation qu'elle ressentait à présent de manière plus flagrante existait depuis toujours. Soledad n'avait jamais appartenu au même monde qu'eux, ils ne l'avaient jamais acceptée, ils l'avaient simplement tolérée tant qu'elle avait eu un certain pouvoir à Triángulo. C'était une question de classe : elle n'avait pas fréquenté les mêmes écoles qu'eux, elle n'avait pas de cousins mariés à leurs cousines. Tous les riches étaient apparentés. Et, dans la rare hypothèse où il n'y aurait vraiment aucun lien de sang entre eux, ils s'appelaient quand même "oncles" et "cousins", reconnaissant certainement par là l'unité de destin essentielle qu'ils formaient. Ils étaient une grande famille, brouillée pour tout sauf le maintien de son pouvoir et de ses influences. Et le petit monde de l'art, avec celui de la banque, étaient deux de leurs territoires préférés : le premier de récréation, le deuxième de chasse. Soledad promena son regard sur les petits cercles, sautant de l'un à l'autre, et il lui sembla entendre les conversations que la moitié de la salle devait être en train de tenir. "Laisse-moi te présenter Tomás. Inés Pereñuela, Tomás Lalanda… – Tu dois être le cousin de Boro, n'est-ce pas ? – Bien sûr, et tu es la fille d'oncle Ramón… – Exact, ton père et mon père allaient ensemble à l'université. – Je le sais très bien. Au fait, tu ne devineras jamais avec qui j'étais le week-end dernier à Jerez ? Avec Nena et ton cousin Jorge. – Pas possible ! Nena ? Avant de se marier avec Jorge, elle est sortie pendant des années avec mon frère ! – Avec ton frère Pepe ? – Non, avec mon frère Tito, le petit. – Tito, celui qui est marié à ma cousine Teresa ? – Lui-même." Et comme ça pendant des heures. Même quand deux personnes de la haute société ne se connaissaient pas, elles pouvaient immédiatement passer la moitié de l'après-midi à égrener des noms d'amis communs, de parents, de beaux-frères et de camarades d'école ou de conseil d'administration, ce qui revenait au même, car les relations commençaient à la maternelle et s'achevaient au sommet des grandes entreprises. Et c'était ainsi que le pouvoir réel se transmettait de génération en génération de cousins et d'oncles vrais ou faux, pendant que le reste des mortels n'appartenant pas à la famille tournaient comme des comètes dans les confins. Comme Soledad elle-même.

Un petit groupe d'invités souriants s'approcha de la table en quête d'un verre. Ils étaient peu nombreux mais triés sur le volet, deux critiques importants, une galeriste et un expert du musée du Prado, plus un homme grand et languide que Soledad ne connaissait pas et Diana Domínguez, qui travaillait au Reina Sofia quand elle avait organisé l'exposition Art et Folie et qui avait ensuite ouvert sa propre galerie. Une vipère. Ils étaient tous minces, ils portaient tous des couleurs froides : des gris, des noirs, des lilas, des bleus brumeux. Diana se pendit au cou de Soledad avec un petit cri :

– Ah ! L'autre jour je t'ai vue à l'opéra avec ton fils, dit-elle, exultante.

– Ce n'est pas mon fils, répondit-elle, et à son horreur elle sentit qu'elle rougissait.

Les autres la regardèrent avec curiosité, un regard qui ressemblait beaucoup à une question. J'ai répondu trop vite, pensa Soledad ; j'aurais dû dire : "mon fils ?", comme si je ne percutais pas, j'aurais dû faire comme si de rien n'était. Elle s'empourpra davantage. Je suis en train d'en faire tout un plat, se dit-elle, je suis en train de me trahir. Derrière le groupe apparut la tête de Marita Kemp, la maudite architecte de l'exposition des maudits. Il ne manquait plus qu'elle, gémit intérieurement Soledad. Elle ne s'était pas aperçue qu'elle était avec eux.

– C'était… un ami, dit-elle enfin, avec très peu de conviction.

– Eh bien, ces amis que tu as, ma chère, il faudra nous les présenter, il était superbe ! Un peu jeune, bien sûr, un enfant, c'est pour ça que j'ai cru que c'était ton fils. Mais spectaculaire, enfonça Diana.

– Voyons, Diana, les couples de femmes âgées avec des hommes jeunes sont à la mode maintenant, intervint le languide. Regarde Sharon Stone, ou Susan Sarandon, ou Madonna…

– Nous ne sommes pas en couple, c'est juste un ami, s'empressa de préciser Soledad tandis qu'elle pensait : pourquoi est-ce que je continue de parler de cette affaire stupide ?

– Tu as des enfants, Soledad ? lui demanda Marita.

Oh non. Et maintenant ça. Et il fallait que ce soit Marita qui lance le sujet. Elle détestait qu'on lui pose cette question, car lorsqu'elle répondait non, ce non tellement irréversible à son âge, ce non qui signifiait non seulement qu'elle n'avait pas d'enfants, mais aussi qu'elle n'en aurait plus jamais et que par conséquent elle n'aurait pas non plus de petits-enfants ; ce non qui l'étiquetait comme une femme non mère et qui la rejetait sur la plage des infortunés, comme le sale rebut d'une tempête marine, car les préjugés sociaux étaient indéboulonnables sur ce point et que toute femelle sans enfants continuait d'être perçue comme une bizarrerie, une tragédie, une femme incomplète, une personne à moitié ; quand elle disait non, enfin, Soledad savait que ce monosyllabe tomberait comme une bombe à neutrons au milieu du groupe et modifierait le ton de la conversation ; tout s'arrêterait et les personnes présentes resteraient dans l'expectative, réclamant tacitement une explication acceptable au pourquoi d'une anomalie aussi affreuse ; que Soledad dise "je n'ai pas pu avoir d'enfants", ou peut-être "j'ai une maladie génétique que je n'ai pas voulu transmettre", ou même "en réalité je suis transsexuelle et je suis née homme" ; ils accepteraient n'importe quoi, en définitive, mais ils l'obligeraient de toute évidence à se justifier. Et, une fois encore, Soledad se promit de résister à la pression et de ne pas ajouter un seul mot après le monosyllabe.

– Non.

Boum. La bombe explosa. Les critiques, la galeriste, l'expert du Prado, le languide, Diana, Marita : tous se turent et la regardèrent avec des yeux ronds, des yeux scrutateurs, des yeux avides d'en savoir plus. Soledad tint bon tandis que l'atmosphère se refroidissait et que la gêne flottait autour d'eux comme un gaz pernicieux.

– Je n'ai jamais voulu avoir d'enfants. Depuis toute petite, lâcha-t-elle finalement, cédant une fois de plus au chantage social, se dégonflant.

– Oui, bien sûr. Pas besoin d'avoir des enfants pour être heureux, s'empressa de dire la galeriste.

Celles-là étaient les pires, ces femmes aimables qui tentaient de dédramatiser la carence, mais qui démontraient à grands cris par leur sympathie qu'au fond elles pensaient que l'absence d'enfants était une tragédie, un handicap. Pourquoi dire quelque chose, si tout leur semblait si naturel.

– Bien sûr ! Moi, j'adore mes enfants, mais j'ai souvent eu envie de les tuer, sourit Marita, bouffie de suprématie maternelle.

– Combien tu en as ? demanda Diana.

– Deux, une de treize ans et l'autre de quinze, imaginez un peu…

Et, en effet, Soledad imagina. Par-dessus le marché, cette emmerdeuse avait eu le temps et l'opportunité d'être mère. Des rires de complicité roulèrent autour d'elle.

– Aïe, en pleine adolescence… comme les miens, dit l'un des critiques.

– Tu vas en voir de toutes les couleurs ! Moi j'ai déjà une petite-fille mais je me souviens encore avec horreur des quinze ans de ma fille, ajouta Diana.

Ils se mirent tous à échanger des commentaires sur leurs rejetons comme on troque des images de collection. Ils avaient tous eu une descendance. Soledad regarda avec espoir l'homme languide : il était plus jeune, probablement gay, peut-être y avait-il échappé. Il dut prendre son regard pour une question, car il répondit :

– Mon mari et moi avons adopté une petite Hindoue. En vérité, on en est dingues, dit-il, et il lança un éblouissant sourire transi d'amour paternel.

Ça m'apprendra à poser des questions, se dit Soledad. Ça m'apprendra à venir à des événements comme celui-ci. Ça m'apprendra à parler aux gens. À sortir de chez moi. À quitter mon lit. À être vivante. Ou peut-être à ne pas l'être assez.

Mardi 9 décembre

Aujourd'hui, A. est sorti à 14 h 50 et il a pris l'autobus. Heureusement, j'étais dans ma voiture, comme presque toujours, et j'ai pu le suivre. Après un trajet interminable, il est descendu dans la calle Francos Rodríguez. J'ai cru que j'allais le perdre dans les ruelles étroites du quartier, mais il s'est à peine éloigné de dix mètres de l'arrêt de bus avant de se placer à côté d'un panneau publicitaire. Il a sorti son portable, a pianoté, a parlé deux secondes puis il est resté là à attendre. Au bout de cinq minutes, un type d'âge moyen est apparu, un peu plus petit que lui, l'air slave. Ils se sont brièvement salués et l'homme lui a donné une enveloppe que A. a ouverte, vérifiant son contenu d'un coup d'œil. Après quoi, A. lui a donné à son tour quelque chose qu'il a sorti de sa poche, de l'argent, je suppose. Ils se sont salués d'un mouvement de tête et A. est retourné à l'arrêt de bus. Le Slave est passé à côté de ma voiture en repartant : cheveux blonds et courts, grosse bague en or, mine renfrogné. La mafia russe ? J'ai roulé directement jusqu'à la calle Virgen de Lourdes dans l'espoir que A. rentrerait chez lui, et c'est effectivement ce qu'il a fait. Il est ressorti une heure et demie après, très soigné : pantalon noir, chemise blanche, cravate, veste en cuir. Il a pris un taxi et cette fois nous sommes allés à l'hôtel Menfis, dans l'avenida de América, près de la calle Cartagena. J'ai garé la voiture et j'ai trouvé un café où m'asseoir, d'où on voyait bien l'entrée. Le Menfis est un quatre étoiles, l'hôtel standard pour hommes d'affaires, grand, avec beaucoup de mouvements. Pas mal de gens sont entrés et sortis, mais à 18 h 02 est arrivée à pied, marchant très vite, une femme mince au visage enveloppé d'un foulard, un bonnet de laine enfoncé jusqu'aux sourcils et des lunettes de soleil, alors qu'il faisait déjà nuit. Ses efforts de dissimulation étaient tellement flagrants qu'elle attirait puissamment l'attention. C'était certainement elle. La cliente.

Jusqu'à l'âge de seize ans, Dolores fut totalement normale. Ou aussi normale qu'il était possible de l'être après avoir été abandonnée par son père à cinq ans sur un cygne au bec doré et avoir passé des heures, des jours, parfois des nuits entières, enfermée dans une armoire sombre. Soledad et elle avaient grandi malgré cela, elles avaient grandi et s'étaient développées en dépit de cette enfance noire, en dépit de l'absence toujours présente de leur père, en dépit de la férocité froide de leur mère. Elles avaient grandi ensemble, elles avaient grandi main dans la main, et il y avait même eu des moments où elles s'étaient senties invulnérables.

Mais un hiver arriva, un mois de décembre comme celui d'aujourd'hui, juste après leurs seize ans, où Dolores se mit à faire des choses bizarres. Tout d'abord, elle cessa de toucher Soledad. Elle fuyait le contact de sa sœur et passait des heures enlacée dans ses propres bras, plongée dans un mutisme de plus en plus grand. Elles avaient toujours été tellement unies qu'elles n'avaient presque pas besoin de mots pour communiquer, mais Soledad cessa tout à coup de la comprendre et, lorsqu'elle lui demanda, qu'elle la pria, qu'elle la supplia de lui expliquer ce qui lui arrivait, Dolores refusa de répondre. Toute cette dérive fut très rapide : elle dura à peine une semaine. Même si, en réalité, Soledad avait remarqué que sa jumelle était un peu triste depuis le début de l'année scolaire.

Ce fut la première fois que Soledad éprouva le poids de son prénom, la première fois qu'elle se sentit véritablement seule. Elle n'avait personne vers qui se tourner, personne à qui demander de l'aide. Et sa sœur n'était plus là. Sa sœur s'éloignait de plus en plus. Un jour, elles retournaient au lycée après manger pour les cours de l'après-midi, quand, sans dire un mot, Dolores changea de direction, obliqua dans la première rue et commença à s'éloigner, sans répondre aux appels anxieux de Soledad, qui choisit de la suivre. Dolores marchait vite, comme si elle savait où elle allait et qu'elle avait hâte d'arriver ; mais il fut aussitôt évident qu'elle marchait au hasard et sans but, parce qu'elle décrivit un tour complet du pâté de maisons et reprit le même chemin. Lorsqu'elles eurent fait trois fois le parcours, Dolores devant, Soledad deux mètres derrière avec une pierre d'angoisse dans la poitrine, sa sœur décrivit un virage brusque, un de ces mouvements nerveux de poisson, et traversa la rue sans regarder, à deux centimètres d'une voiture qui dut freiner brutalement et dont le conducteur klaxonna et vociféra sans que Dolores ait l'air de rien remarquer. Imperturbable, sa jumelle se dirigea droit vers la boîte aux lettres et, posant sa main dessus, elle glissa son autre main sous sa jupe grise de lycéenne, ôta sa culotte avec une rapide efficacité et la jeta dans la fente de la boîte. Puis elle s'allongea sur le capot d'une voiture garée et, se mettant en position fœtale, elle ferma les yeux comme pour s'endormir.

Quelques semaines plus tard, le psychiatre de l'hôpital où sa sœur était internée leur dit que sa crise avait probablement été précipitée par un amour déçu ; que Dolores parlait de manière obsessionnelle de Tomás, un garçon avec lequel elle disait avoir vécu une histoire passionnée, mais le médecin pensait que ce n'était pas vrai. En cela, il vit juste ; ce fut peut-être le seul point sur lequel ce Mengele de l'électrochoc eut raison. Tomás était le fils du propriétaire de la papeterie qu'il y avait à côté du lycée. Il se trouvait parfois au magasin, à aider son père. Il devait avoir dans les dix-huit ans et il était beau, assurément. Très beau. Tout le lycée, à l'époque uniquement féminin, allait acheter là-bas. Aujourd'hui une gomme blanche, demain un crayon. Des achats minuscules mais obstinés. Ce garçon était l'arme secrète du commerçant.

Elles aussi, elles avaient économisé centime après centime pour pouvoir se payer quelques minutes de l'attention de Tomás pendant qu'elles hésitaient à n'en plus finir entre une demi-douzaine de taille-crayons, mais Dolores n'avait bien évidemment eu aucune liaison avec lui, Soledad le savait : elles étaient toujours ensemble. Cet amour faisait donc partie de son délire ; ou peut-être pas, peut-être était-il pour de vrai le déclencheur de la catastrophe ; peut-être Dolores l'aimait-elle pour de vrai et croyait-elle qu'elle n'allait pas être aimée en retour, parce qu'à seize ans elles se sentaient toutes les deux laides, pas du tout attirantes, de grandes asperges plates, mal habillées, avec leurs jupes plissées, leurs souliers bon marché à semelle crêpe, leurs chaussettes en laine jusqu'au genou. Peut-être Dolores n'avait-elle pas supporté l'indifférence de Tomás et avait-elle préféré perdre la raison, s'effacer de l'intérieur. La folie comme forme de suicide.

S'effacer pour un homme. C'est aussi ce qu'avait fait María Lejárraga, mais sans avoir recours à la psychose. Son histoire fut délirante : aussi bien elle que son mari devaient être un peu déséquilibrés pour agir ainsi. Mais, quoi qu'il en soit, le plus grand déséquilibre provenait de leur milieu, de la pression écrasante du sexisme. Lejárraga serait une des étoiles de l'exposition. C'était le deuxième personnage qui plaisait le plus à Soledad parmi tous les maudits ; elle comptait la placer en avant-dernière position, juste avant d'entrer dans le saint des saints.

Ses contemporains disaient qu'elle était laide, ce que ses photos démentaient : des traits corrects, d'intelligents yeux noirs, une jolie bouche. Celui qui était véritablement laid, pensait Soledad, tellement laid qu'il frisait l'horrible, c'était son mari, Gregorio Martínez Sierra : rachitique, sans menton, avec des oreilles en feuilles de chou et une incontestable face de rat. María était cultivée, elle avait suivi des études supérieures, elle connaissait plusieurs langues, elle écrivait ; mais elle avait la malchance d'être née dans l'Espagne de 1874, une société d'un machisme étouffant, et tous ces attributs étaient alors autant d'affronts pour elle ; peut-être que la laideur qu'on lui prêtait provenait du fait d'être si différente de la norme. Mais le problème, c'est qu'elle devait se sentir ainsi, disgracieuse : il est difficile de s'aimer quand personne de votre entourage ne le fait. Si bien qu'à vingt-trois ans elle eut son premier et dernier fiancé, le fils d'un voisin, Gregorio, qui n'avait que dix-sept ans et était un gringalet pas fini et couvert de boutons. Trois ans plus tard, ils se marièrent. Elle travaillait comme institutrice, gagnant l'unique salaire qui entrait à la maison ; puis elle s'occupait des tâches domestiques et, la nuit, elle écrivait les textes que Gregorio signait. Martínez Sierra devint rapidement très célèbre comme dramaturge, hissé sur les épaules de son épouse dévouée. Ses pièces furent jouées à l'étranger et servirent de base à des films à Hollywood. Certaines inspirèrent d'importantes œuvres musicales, comme *Nuits dans les jardins d'Espagne*, de Manuel de Falla. Gregorio chargeait María de tout : articles de presse, conférences, y compris lettres de condoléances. Très probablement, il ne rédigeait absolument rien. "Tout le monde au théâtre savait que c'était doña María qui écrivait les pièces et que don Gregorio n'écrivait même pas les lettres à sa famille", dit le souffleur de la compagnie bien des années plus tard. Et en 1930, après presque trente ans d'une carrière à succès, alors que María était vaguement malade, Gregorio lui raconta dans une lettre : "Je fais des efforts inouïs pour écrire jusqu'à ce que tu ailles mieux. Je crois que j'y arriverai tôt ou tard." Soledad envisageait d'imprimer toutes ces phrases sur les panneaux de l'exposition.

Mais ce qui la fascinait le plus, ce qui lui semblait le comble de la perversion et du désespoir, c'étaient deux circonstances particulièrement tordues de sa biographie. La première : ce rat de Gregorio, qui avait épousé María en 1900, eut une liaison en 1906 avec Catalina Bárcena, une jolie, jeune et célèbre actrice de sa compagnie. En fait, à présent que Soledad y pensait, on dirait que ce gringalet hideux de Martínez Sierra s'était fait passer pour un dramaturge et avait monté sa propre compagnie dans l'unique et banal but de pouvoir coucher avec les actrices. Bref, il se mit ouvertement en ménage avec Catalina, et non seulement María continua de rédiger ses pièces avec docilité, mais elle dut de surcroît s'appliquer à écrire des rôles valorisants pour sa rivale. Il est vrai que, pour la Bárcena, ce ne devait pas être non plus une partie de plaisir, cette épouse légitime, plus vieille et plus laide qu'elle, dont son amant ne pouvait pas se séparer, car il n'était rien sans elle. Deuxième circonstance : à partir de 1917, Lejárraga se mit à écrire des articles, des conférences et des livres féministes, tous avec la signature de son mari. Nègre littéraire dans le sens le plus exploité de la négritude, épouse dédaignée et auteur spoliée, María se mit à réfléchir à ses contradictions et commença à utiliser Gregorio comme une marionnette de ventriloque pour dénoncer l'injustice dont il tirait lui-même profit ; "Les femmes se taisent car, instruites par la religion, elles croient fermement que la résignation est une vertu. Elles se taisent par peur de la violence de l'homme ; elles se taisent par habitude de la soumission ; elles se taisent parce qu'à force de siècles d'esclavage elles en sont venues à avoir des âmes d'esclaves", lui fit-elle dire dans une conférence, transformé en porte-parole de la femme la plus silencieuse du monde. Soledad ne savait pas exactement laquelle de ces deux situations choisir comme scène incandescente pour l'exposition : le triangle entre Catalina, Gregorio et María, du venin à l'état pur circulant des trois côtés, ou ce sinistre numéro de cirque de ventriloquie féministe.

La vie est une aventure qui finit toujours mal, parce qu'elle s'achève par la mort. Mais la vie de Lejárraga se termina d'une manière encore plus triste. Quand, en 1922, Catalina et Gregorio eurent une fille, María le quitta enfin, mais elle continua d'écrire pour la plus grande gloire de son ex-mari. Elle dut s'exiler après la guerre et connut de graves difficultés économiques ; dans les années 50, elle publia deux livres autobiographiques dans lesquels elle confessait, très modestement, qu'elle avait collaboré avec

Gregorio : “À présent, âgée et veuve, je me vois dans l’obligation de proclamer ma maternité afin de pouvoir toucher mes droits.” Bien qu’elle eût menti et accordé à Martínez Sierra un rôle beaucoup plus important qu’en réalité, des messieurs furibards des quatre coins de la planète se ruèrent sur les prétentions littéraires de Lejárraga et la replongèrent dans le silence. “Mariée, jeune et heureuse, je fus prise de cet orgueil d’humilité qui domine toute femme lorsqu’elle aime véritablement un homme”, expliqua-t-elle aussi dans sa biographie : voilà pourquoi elle avait décidé de donner aux pièces “le nom de leur père”. Alors, aimer véritablement un homme consistait donc en cela ? Une condamnation à la folie, comme Dolores ? Un exercice obstiné d’autodestruction, comme Lejárraga ?

Elle dépensait trop d'argent avec Adam, se dit Soledad avec une pointe d'angoisse : elle ne pouvait pas se permettre ce niveau de gaspillage. Adam. Plus jamais elle ne le désignait mentalement comme l'escort, le gigolo, le prostitué. Elle ravala sa salive en essayant de dénouer la boule d'inquiétude qui lui serrait la gorge. Elle regarda autour d'elle : un coup d'œil mal assuré, fuyant. Personne ne semblait prêter aucune attention à elle : ni les vendeurs ni les clients. Peut-être croyaient-ils eux aussi que le garçon était son fils. Elle soupira et bascula son poids d'un pied sur l'autre pendant qu'elle attendait qu'Adam sorte de la cabine d'essayage. Il était très long : il avait emporté une bonne brassée de vêtements. Une veste, une chemise et un pantalon, ou bien un costume et une chemise. C'est ce que Soledad avait promis de lui acheter comme cadeau de Noël. Elle était là, sexagénaire bien habillée, dans la boutique Adolfo Domínguez, à attendre que son gigolo essaie les vêtements qu'elle allait lui payer. Une scène tellement banale, tellement Aschenbach. Ou non, pauvre Aschenbach, qui n'avait jamais pu ne serait-ce que toucher Tadzio. Elle serait plutôt comme le professeur Unrat, celui du film *L'Ange bleu*, ce vieil homme qui devenait fou de passion pour une danseuse de cabaret et finissait par se ruiner. Ou, mieux encore, elle ressemblait à Léa, l'héroïne du livre de Colette, *Chéri*, une femme d'âge mûr qui perd la tête et bien d'autres choses encore pour ce cher Fred, un garçon de dix-neuf ans. Curieusement, le roman *Professeur Unrat*, sur lequel se basait le film, était d'Heinrich Mann, le frère de l'auteur de *Mort à Venise*. On dirait que les Mann avaient très peur de la passion, et peut-être avaient-ils raison. Soledad soupira : c'était tellement banal aussi qu'elle soit là à embellir son cas avec des références cultivées ; qu'elle essaie d'envelopper cette histoire du papier de soie des comparaisons littéraires, alors que la dure réalité était qu'elle, une femme âgée, elle était en train d'acheter des cadeaux à son gigolo. C'était humiliant, inquiétant, risqué. Qu'allait-elle devenir si elle continuait comme ça : sa situation économique ne pourrait pas supporter longtemps toutes ces dépenses. Elle se sentit en danger. Le vertige la tenailla. Elle était perdue.

Une explosion de cortisol et d'adrénaline inonda son organisme et son angoisse grimpa à un niveau stratosphérique. Nauséeuse, son cœur se fracassant contre ses côtes et son écœurement serré entre ses dents, Soledad se laissa tomber sur la petite banquette capitonnée qui se trouvait à côté des cabines d'essayage et s'agrippa au fauteuil pour se défendre des fluctuations du monde. La réalité tournoyait autour d'elle et ses poumons semblaient s'être refermés. C'était une crise d'angoisse : elle les connaissait bien. Respire, se dit-elle ; respire profondément et lentement, pour éviter l'hyperventilation.

Par chance, ce fichu voleur qu'était l'âge vous offrait également ceci : la connaissance, à force d'expérience, que les crises d'angoisse s'apaisaient. Peu à peu, son mal au cœur diminua, le monde stoppa son oscillation. Personne ne la regardait : le moment d'agonie était passé inaperçu aux yeux de tous. Elle respira encore une fois profondément, en sentant son cœur ralentir peu à peu sa course. Adam ne sortait toujours pas. Elle imagina le Russe en train d'essayer les vêtements de l'autre côté du rideau : les pantalons glissant sur les petites fesses rondes et musclées ; ses doigts longs refermant les boutons sur son torse tiède et épilé.

Ils s'étaient vus neuf fois. Tous les cinq ou six jours, plus ou moins. Et Adam avait non seulement l'habitude de rester plus longtemps que le temps stipulé par le tarif de base qu'elle lui payait, mais il lui avait en plus offert deux rendez-vous et les deux fois il était resté toute la nuit. C'était le meilleur et le pire, c'était ce qui l'inquiétait : ne pas bien savoir quelle relation ils avaient. Pourquoi faisait-il parfois l'amour avec elle sans se faire payer ? Pour la fidéliser comme cliente ? Pour la prendre dans ses filets, malicieuse araignée postée au centre de sa toile ? Adam pouvait-il être aussi rusé, aussi bon chasseur, aussi parfait acteur, aussi intelligent ?

Quoique non. Le pire, c'était que Soledad le croyait. Elle croyait en sa sincérité, en son affection ombrageuse. Certes, Adam ne lui avait jamais dit qu'il l'aimait ; mais il lui avait parfois raconté des choses tellement intimes que Soledad ne pouvait pas croire qu'elle n'était qu'une femme de plus parmi celles avec qui il couchait pour de l'argent.

– Comment tu les appelles ? lui avait-elle demandé la veille au soir, au lit, tandis qu'ils mangeaient deux barquettes de flan après avoir fait l'amour.

– Qui ?

– Les femmes avec qui tu couches ? Comment vous les appelez entre vous, quand tu parles avec les autres gigolos ? Les vieilles ?

– Elles sont pas vieilles. Je sais pas, elles doivent avoir entre trente-cinq et quarante-cinq. Ou peut-être cinquante. Je suis mauvais en âges. Et elles sont belles. Bon, en vérité, pas toutes. Mais certaines sont belles. Et agréables. Je les appelle les femmes. Ou les clientes. Et, en plus, je parle pas avec les gigolos. En réalité, j'en connais aucun. Tu sais que je suis assez nouveau.

Elle était donc la plus âgée, avait pensé Soledad avec abattement, même si Adam la croyait probablement plus jeune. Sauf s'il avait googlé son nom sur Internet et lu sa date de naissance.

– Si tu ne connais aucun escort, comment tu t'es mis à ça ?

Adam avait léché de sa langue habile le caramel liquide de la barquette vide.

– C'était drôle. Pareil qu'une scène de film porno. Je suis allé comme électricien dans une maison de la calle Alcalá. Et après la réparation du tableau électrique, la nana m'a mis la main au panier. C'était une étrangère. Canadienne, je crois.

Veuve, elle m'a dit, environ quarante-cinq ans. Elle était pas très attirante, mais la situation m'a beaucoup excité et tout s'est bien passé. Après elle m'a donné un pourboire de cent euros. Et je suis arrivé chez moi avec l'argent en hallucinant et je me suis dit : pourquoi pas ? Alors j'ai cherché sur Internet et j'ai trouvé le site AuPlaisirDesFemmes et j'ai écrit. J'ai dû envoyer des photos, mon histoire, tout. Ensuite j'ai vu César dans un café, celui qui dirige le site. Espagnol, la cinquantaine. Il m'a dit que je devais me faire faire un examen médical et de bonnes photos, et il m'a expliqué les conditions et tout ça. Ils prennent la moitié, c'est du vol. Mais ils paient l'hôtel. Et il m'a aussi donné le contact du Bulgare qui vend les pilules.

– Quelles pilules ?

– À ton avis ? Du Cialis ou du Viagra. Je dois aller jusqu'à un trou perdu pour en acheter et c'est super cher. Cinquante-cinq euros la plaquette de huit ou dix comprimés, que je coupe en deux. Je prends le Cialis trente minutes avant le travail, le Viagra quarante-cinq minutes.

Soledad était glacée. C'était logique, c'était évident, mais elle n'avait jamais réfléchi au fait qu'Adam ait besoin de prendre des cachets. Une idée s'était aussitôt mise à tambouriner dans sa tête, un solo de tambour obsédant : et avec moi aussi ? Avec moi aussi ? La question s'était agglutinée derrière ses lèvres et, pour ne pas la laisser sortir, elle avait dit n'importe quoi d'autre.

– Et... quelle différence il y a entre le Viagra et... l'autre là, le Cialis ?

– Ben la durée. Ça dépend pourquoi tu le veux. Si c'est un service de vingt-quatre heures, le Cialis, parce que l'effet dure un jour et demi. Mais si c'est un truc normal, c'est mieux le Viagra, qui dure juste quatre heures. Comme ça, t'es pas obligé de rester comme un buffle toute la journée.

Ils avaient dormi ensemble. Elle lui avait payé le minimum de trois cents euros, mais il était resté. Certes, il savait qu'ils allaient acheter des vêtements dans la matinée. Avait-il pris du Cialis, alors ? Mais lorsqu'ils s'étaient réveillés, il n'y avait pas eu de sexe. Il n'avait pas fait de geste dans ce sens, et elle, comme le Russe lui offrait les heures sup, elle n'avait pas non plus osé tenter quoi que ce soit, pour ne pas abuser.

Le rideau s'ouvrit dans un tintement d'anneaux métalliques et Adam sortit, le visage enflammé par la tâche d'essayer tous ces vêtements.

– J'hésite entre deux choses. Dis-moi ce qui te plaît le plus. Ça c'est la première.

Il tendit les bras et tourna lentement sur ses pieds déchaussés, en se regardant du coin de l'œil dans le miroir.

Avec moi aussi ?

– Qu'est-ce que tu en dis ?

Soledad s'efforça de se concentrer sur les habits. Veste en velours gris fumé, pantalon à pince d'un gris plus sombre, chemise moutarde. Il était très beau.

– Tu es très beau.

– D'accord. Maintenant je te montre l'autre.

Il s'enferma à nouveau dans la cabine d'essayage. Soledad se demanda où il pouvait bien mettre les cachets : les avait-il sur lui ? Les gardait-il dans son jean ? Ou peut-être dans son portefeuille ? Elle regarda la parka que le Russe avait soigneusement laissée repliée sur la banquette et, tendant discrètement la main, elle palpa ses poches. Il n'y avait rien.

– Et ça ?

Nouvelle apparition. Pantalon droit marron foncé, pull-over épais torsadé couleur vison, chemise en jean bleu clair.

– Tu es très beau aussi.

– Tu m'aides pas du tout, rit-il.

Il avait l'air heureux, aussi excité qu'un enfant qui ne sait pas quel jouet garder. Soledad dut mobiliser toute la force de sa volonté, elle dut serrer les dents jusqu'à les faire grincer pour ne pas dire : je t'achète les deux. Non, non, non. Elle lui avait déjà offert un smartphone quatre semaines plus tôt. La professeur Unrat devait apprendre à se contrôler.

– Mmmm, j'adore les deux mais je crois que je vais garder le premier. La veste en velours et tout.

C'était sûrement l'ensemble le plus cher, pensa Soledad. La veille au soir, Adam lui avait dit :

– Quand j'ai commencé là-dedans, j'étais très enthousiaste. Alors j'ai investi dans les photos, et la visite médicale, et les cachets. C'était un max de blé. Je croyais que ce travail me sortirait de la pauvreté, que je pourrais gagner pas mal et économiser pendant dix ans et ensuite monter ma propre affaire, je sais pas, un restaurant russe, ou un bar à vins. Mais ensuite ça a rien donné, ou presque rien. Il y a beaucoup plus d'offre que de demande. Y en a pas tant que ça, des femmes avec de l'argent qui osent se payer un escort. Je suis très déçu. Alors il faut que je trouve un autre moyen pour devenir riche. Je vais pas rester un putain d'électricien toute ma vie.

La séduisante araignée au beau milieu de sa toile.

Certes, les femmes désespérément amoureuses, c'est-à-dire amoureuses sans aucun espoir d'être aimées en retour, ne devenaient pas toujours folles, comme Dolores, et ne s'effaçaient pas au point de se transformer en esclave de l'être aimé, comme Lejárraga, se dit Soledad. Dans son roman *Le Journal d'Edith*, Patricia Highsmith, cette grande connaisseuse des démons de l'amour, disait que, au paroxysme de la douleur passionnelle, les hommes tuaient et les femmes se suicidaient. Mais non, ce n'était pas toujours le cas.

Nous, les femmes, nous tuons aussi ! s'exclama Soledad d'une voix tellement forte qu'elle frôlait le cri.

Ce qui n'eut aucune importance parce qu'elle était seule chez elle et que ses voisins devaient être vaccinés à force d'entendre ses soliloques intempestifs.

Les femmes aussi, en effet, tuaient par amour. Il y avait, par exemple, le cas de ces deux romancières chiliennes : toutes les deux étaient de bonne famille, elles n'avaient que quelques années d'écart, toutes les deux avaient criblé leur amant de balles et l'avaient fait, comme par hasard, dans le même hôtel de Santiago du Chili, le Crillon. Toutes ces coïncidences semblaient à Soledad quelque chose de merveilleux, un de ces carambolages extravagants avec lesquels s'amusait de temps en temps cette joueuse cruelle qu'était la vie. Elle voulait bien sûr inclure les deux femmes dans l'exposition, mais elle ne savait pas encore si elle allait fondre leurs histoires en une seule.

La première écrivaine homicide était María Luisa Bombal. Née en 1910, elle devint à vingt et un ans la maîtresse d'Eulogio Sánchez, un pilote et play-boy plus âgé qu'elle et, par-dessus le marché, marié. María Luisa connut donc les pénuries de la clandestinité et tenta un jour de se suicider. Elle le fit tellement mal qu'elle se tira seulement dans l'épaule ; ou peut-être était-ce ce qu'elle recherchait, juste un peu de bruit, de sang et de douleur afin d'émouvoir le cœur de pierre de son amant. Si telle était sa stratégie, elle n'eut guère plus de succès. Ravagée, elle partit pour Buenos Aires, où elle se mit à écrire. Elle tomba amoureuse d'un autre homme, qui la quitta lui aussi pour se marier avec une autre, et María Luisa ne put le supporter. Elle rentra à Santiago du Chili blessée et furieuse et, lorsqu'elle lut dans le journal que son ancien amant, Eulogio Sánchez, rentrait des États-Unis avec son épouse, toute sa rage se focalisa sur lui comme le centre d'un ouragan. Elle rechercha son adresse, son téléphone, l'endroit où il travaillait, ses habitudes. Un jour, elle parvint à le localiser à l'hôtel Crillon ; elle se plaça derrière lui, sortit un pistolet de son sac et lui tira trois fois dans le dos. Par chance, aucun tir ne fut mortel. On était en 1941 et Bombal avait trente et un ans. Elle fut arrêtée, fit dix semaines de prison et plusieurs mois d'hôpital psychiatrique. Étonnamment, le juge l'innocenta, après avoir conclu qu'elle avait commis son délit "privée de la raison et du contrôle de ses actes". Le fait que la victime se soit montré un gentleman (sentiment de culpabilité, compassion, peur ?) et n'ait pas porté plainte avait aidé.

Le cas de María Carolina Geel, née en 1913 et auteur de romans érotiques, fut pire. En avril 1955, elle était en train de prendre le thé à l'hôtel Crillon avec son amant, Robert Pumarino, un employé de bureau socialiste qui était devenu veuf deux mois plus tôt. Il avait vingt-six ans ; Geel, quarante et un. Quelques jours auparavant, il lui avait proposé le mariage ; elle avait refusé de peur que leur relation ne se détériore et peut-être aussi parce que le démon de la jalousie était en train de la dévorer. Elle croyait que Robert la trompait et elle avait acheté un Baby Browning de 6.35 mm, un calibre si minuscule et au nom si doux qu'il ne permettait pas de supposer qu'il était mortel. En cet après-midi d'avril, Geel leva l'arme au-dessus des tasses de thé et tira cinq fois sur son amant. La première au visage, et de là vers le bas jusqu'à atteindre le foie. Le jeune homme s'écroula, transformé en cadavre : ce pistolet joujou avait, cette fois, joué à tuer. María Carolina se jeta sur l'homme et baisa sa bouche ensanglantée. Elle fut également jugée avec une extrême bienveillance : bien qu'étant une meurtrière, on ne la condamna qu'à trois ans et un jour, et elle ne les fit même pas, car elle fut graciée à la suite de pressions de Gabriela Mistral et d'autres intellectuels. Peut-être la croyait-on folle, comme Bombal : "En s'absorbant dans les livres, elle fut victime d'un égotisme prononcé", avait-on dit de Geel. Sa classe sociale avait sans doute influé et, paradoxalement, peut-être un certain machisme, dans ce cas protecteur et paternaliste. Le temps qu'elle demeura sous les barreaux, elle écrivit un roman, *Cárcel de mujeres*, qui la rendit célèbre : Soledad nota dans sa mémoire qu'il fallait localiser et obtenir ce texte. Mais elle ne connut plus aucun succès par la suite et mourut dans l'oubli. Pour Bombal, qui traversa de longues années d'alcoolisme, les choses n'allèrent pas beaucoup mieux. Toutes les deux avaient perdu leur père étant petites. Oui, elles avaient sûrement été des égotistes, mais, par ailleurs, leur cœur devait brûler si fort d'envie d'aimer ! pensa Soledad ; et elle décida d'unir les deux femmes dans l'exposition, de monter une scène unique pour les deux. Elle ferait reconstruire le Crillon en infographie, elle utiliserait des sons et projetterait des images sur les panneaux : les salons de l'hôtel, le bruit des coups de feu, des taches de sang, des cœurs en flammes, le tintement des tasses de thé, les photos de Geel et Bombal. Et la présentation des manuscrits, naturellement.

Geel n'était pas la seule meurtrière qu'elle envisageait de mettre dans ses maudits : il y avait aussi Anne Perry, la célèbre et terrible Anne Perry, auteur à succès de romans policiers qui, le 22 juin 1954, à l'âge de quinze ans, avec sa très chère amie Pauline, de seize ans, frappa à mort la mère de cette dernière avec une brique placée dans une chaussette.

Quelque part, derrière leur délit brutal, se cachait aussi la question amoureuse : bien qu'elles aient toujours nié avoir eu une relation homosexuelle, il y avait sans doute entre Pauline et elle cette dépendance émotionnelle intense que l'on voit parfois entre adolescents. À présent que Soledad y pensait, presque toutes les histoires de ses maudits avaient quelque chose à voir avec le besoin d'amour, avec l'abîme du désamour, avec la rage et la gloire de la passion. L'amour faisait et défaisait l'Histoire, mobilisait les volontés, désordonnait le monde. Elle devrait changer le titre de l'exposition. Ce serait mieux de l'appeler Fous d'amour. Fous d'aimer. Fous à lier.

Parfois, lorsqu'elle marchait dans des lieux très fréquentés, comme maintenant, alors qu'elle traversait à pied et d'un pas rapide la Puerta del Sol en direction de chez elle, Soledad s'amusait à essayer de se trouver d'hypothétiques amants, des hommes qu'elle aurait pu draguer, c'est-à-dire des individus qui, en plus de lui plaire, auraient pu être des compagnons envisageables et possibles, ce qui lui semblait de plus en plus difficile. Par exemple : ce monsieur qui venait en face et qui la regardait avec des yeux assez intéressés, lui semblait à elle une véritable horreur, un vieux bedonnant à la peau flasque, alors qu'il devait probablement avoir plus ou moins son âge. Celui-là non plus : il était jeune mais vulgaire et laid. Et ce quadragénaire aux narines retroussées encore moins ; il est vrai que ce type ne l'avait même pas regardée, mais, quand bien même il se serait jeté à ses pieds, il ne l'intéressait pas le moins du monde. Encore un vieillard impossible ; celui-là devait avoir au moins soixante-dix ans et mal portés. Mmmmmh, ce garçon, en revanche, était bien foutu… celui qui marchait derrière ce couple de petits gros sans intérêt. Les épaules droites et musclées, les cheveux frisés, les dents écartées comme celles d'un adolescent… Mais cette merveille n'était plus à sa portée, songea Soledad : il devait avoir la trentaine. Bon sang, s'injuria-t-elle à voix basse, il faut que tu grandisses, il faut que tu arrives à t'intégrer dans ton âge, à comprendre que tu es une sexagénaire, à faire en sorte que les hommes mûrs te plaisent… Mais comment regarder avec les yeux du désir ces hommes négligés, des types qui se laissaient aller, abattus, au corps affaissé et aux yeux vitreux ? Ces hommes qui n'avaient certainement pas eu depuis longtemps d'autre contact avec chair, la leur et celle des autres, qu'une masturbation occasionnelle. Et ce monsieur à la tête baissée qui venait de passer à côté d'elle peut-être même pas. Et puis il y avait les hommes mûrs tirés à quatre épingles, comme celui qui venait droit sur elle, en la regardant comme un don Juan irrésistible. Des cheveux blancs clairsemés plaqués en arrière à la gomina, un pantalon rouge d'incorrigible snob, une montre lourde et chère qui brillait à son poignet. C'était un de ces personnages imbus d'eux-mêmes qui croyaient que prendre soin de soi consiste à s'asperger de parfum, porter des vêtements chers et manger des gambas à l'apéritif ; mais qui, sous leurs vestes de marque, présentaient des bedaines pendantes qui dépassaient sur leur ceinture et des jambes décharnées de gallinacé qui ne marchait jamais. Ils avaient beau se croire superbes, ils étaient, en fin de compte, un antidote à la luxure. Eh bien, malheureusement c'étaient justement eux, les hommes de son âge, ceux qui lui correspondaient : mais Soledad se serait tranché les mains plutôt que de les toucher. En revanche, il y avait beaucoup plus de femmes mûres intéressantes, qui restaient en forme et très actives, les yeux brillants et le corps vivace ; quel dommage que Soledad soit si totalement hétérosexuelle, ce qui réduisait ses possibilités sentimentales à la moitié de la population. Attention, un moment, un moment… Sur la droite approchait un mâle prometteur… Au moins cinquante-cinq ans, plutôt grand, le corps sec et dur, le visage entaillé par d'intéressantes rides de l'âge, des yeux intenses et des cheveux très courts, presque blancs… Mmmmh, un aspect formidable, se pourlécha Soledad tout en essayant de capter son regard. Mais elle vit aussitôt la femme qui le tenait fermement par le bras, pour montrer que ce bel animal n'était qu'à elle, une fille encore jeune, à peine la quarantaine, et bien évidemment belle, le poisson rémora, le pot de colle. Foutues propriétaires.

Jeudi 25 décembre

Bizarrement, aujourd'hui A. est sorti à 14 h 38 avec une femme et un enfant. Depuis plusieurs semaines que je le suis, je ne l'avais jamais vu accompagné et tout semblait indiquer qu'il vivait seul, mais il tenait cette femme par l'épaule dans un geste de protection et d'appartenance très éloquent. C'est une métisse aux longs cheveux frisés, de vingt et quelques années. Je l'avais déjà vue entrer dans l'immeuble avec son fils : je l'ai remarquée parce que sa beauté est remarquable. Mais je n'aurais jamais cru qu'ils vivaient ensemble. Le gamin doit avoir environ trois ans et il est de couleur caramel, plus clair qu'elle de plusieurs tons : fils de A. ? Ils ont marché jusqu'au bar MarySol et, heureusement pour moi, on les a installés à une table près de la fenêtre. Ils l'avaient sans doute réservée car, comme c'est Noël, le bar était rempli de familles fêtant ce jour. On a mis longtemps à les servir ; l'enfant jouait avec les guirlandes de décoration et leur arrachait avec une lenteur concentrée leurs effilochures rouges et dorées. Dehors il faisait froid. Le brouhaha festif du local parvenait jusqu'à moi, mais ils ont peu parlé. Ils ressemblaient à ces vieux couples qui se connaissent bien. Une famille triste.

Adam portait la veste et le pantalon Adolfo Domínguez qu'elle lui avait offerts. Il les avait élégamment combinés avec une chemise en jean sans cravate qui lui donnait une touche plus sportive. Par-dessus, sa parka habituelle, verdâtre et un peu râpée. Une fois de plus, Soledad se dit : je vais lui acheter un manteau. Et aussitôt : non, bien sûr que non, pas un cadeau de plus, tu ne dois pas, tu ne peux pas. Et ensuite : mais maintenant, avec les soldes d'hiver, on pourrait peut-être trouver une bonne affaire. Et il serait tellement beau.

La matinée était glacée et la terre des plates-bandes encore recouverte par le cristal crissant du givre. Le ciel, très bas, avait une teinte grise monotone et affligeante : l'hiver triomphait. C'était le 1er janvier et ils déambulaient dans Madrid Rio, la nouvelle zone piétonne près du Manzanares. Ils n'avaient pas passé le réveillon ensemble ; en fait, Soledad n'avait pas osé le lui demander, au cas où il lui aurait dit non. Cela faisait cinq jours qu'ils ne s'étaient pas vus, qu'ils n'avaient pas couché ensemble. Quand ils s'étaient donné rendez-vous pour le Jour de l'an, elle avait demandé au Russe qu'ils se voient à midi et à l'extérieur de chez elle. Elle commençait à se sentir désespérée qu'ils ne se retrouvent que pour faire l'amour, que leur relation reste enfermée dans la cage étroite de la clandestinité et de la routine. Elle avait donc décidé : nouvel an, nouvelle vie. Promenons-nous, sortons à la lumière, arrêtons d'être des vampires sexuels. Et elle l'avait traîné jusqu'à Madrid Rio. Cependant, alors qu'ils marchaient maintenant, elle le regardait du coin de l'œil et regrettait sa décision : elle voulait l'embrasser, elle voulait le toucher, elle voulait s'ouvrir tout entière pour lui comme une anémone, elle voulait se donner, elle voulait qu'il la remplisse et la possède, elle voulait se fondre avec lui et n'être qu'un seul corps et un seul cœur, car le cœur aussi était chair, était muscle, le muscle le plus puissant de l'organisme, une pelote de fibres palpitante de la taille du poing, deux cent soixante grammes de chair et d'amour chez la femme, trois cents grammes chez l'homme.

– Quelle merde, s'exclama-t-elle à voix haute.

– Quoi ? dit Adam.

– Rien. Je pensais au travail. Pardon, se déroba-t-elle.

Elle en voulait plus, elle en voulait beaucoup plus, elle voulait de la tendresse et du quotidien et de la présence et un compagnon, mais c'était ridicule de rechercher ça auprès d'un gigolo. À présent qu'elle l'avait sorti pour la première fois à la lumière impitoyable du matin, elle se rendait encore mieux compte de son erreur, non que le physique d'Adam ne supportât pas ce bain de réalité, car il continuait de lui paraître très beau, voire même encore plus séduisant, mais parce que, en dehors du lit, la relation ténue mais ardente qui les unissait, l'intimité qu'ils partageaient, se dissolvait dans le néant comme de la fumée dans le vent. Voilà presque une heure qu'ils se promenaient dans Madrid Rio sans dire un mot. Une distance gênante d'étrangers s'était installée entre eux : comme si, au-delà du sexe, tout était un désert.

Mais peut-être Adam avait-il la gueule de bois. Peut-être s'était-il couché tard. Peut-être était-ce la cause de son éloignement, de sa froideur, de son mutisme. Le parc était presque vide. La ville dormait encore après sa nuit de bringue.

– Qu'est-ce que tu as fait hier soir ? Comment as-tu réveillonné ? demanda-t-elle en essayant d'avoir l'air le plus léger possible.

Adam haussa les épaules :

– J'ai rien fait. Enfin, j'ai grignoté un truc au bar de mon quartier. Puis je suis rentré à la maison.

– Tout seul ?

Soledad se mordit les doigts dès qu'elle l'eut dit ; le Russe leva la tête et lui lança un coup d'œil rapide et dur comme un dard, un regard étrange entre la surprise et la réprobation.

– Je veux dire, si tu avais une… une fête de réveillon ou quelque chose comme ça, bégaya-t-elle péniblement en tentant de rattraper le coup.

– Je vais pas à beaucoup de fêtes. Je connais personne, répondit Adam, taciturne.

– Tu n'as pas d'amis ?

– Bah, une connaissance. Mais rien d'important. J'ai jamais été bon pour me faire des amis. Je crois que c'est une chose qu'on m'a pas apprise à l'orphelinat.

Ils se turent à nouveau. Ils passèrent à côté d'une cabane à canards installée dans la rivière Manzanares. Les volatiles se reposaient sur la plateforme extérieure en bois. Des familles entières de canards, des couples d'anatidés fidèles fêtant ensemble et joyeusement le nouvel an.

– Je voulais te demander quelque chose, dit tout à coup Adam en s'arrêtant et en se tournant vers elle.

Soledad s'immobilisa et le regarda, un peu soucieuse. L'expression du Russe était tendue et sérieuse.

– Est-ce que tu peux me prêter un peu d'argent ? Je te rendrai tout dans quatre mois et avec les intérêts.

– De l'argent ? Pour quoi faire ? Combien ? sursauta-t-elle en sentant sa nuque se glacer.

– C'est une affaire garantie ! Un truc incroyable dont je suis au courant par un ami…

– Je croyais que tu n'avais pas d'amis…

– En fait, une connaissance qui me devait un service. Voilà, c'est un site de paris de poker sur Internet. Il a été créé par un groupe de personnes spécialisées dans le jeu. Le poker est basé sur le calcul des probabilités ; si tu utilises ce calcul, à long terme tu gagnes toujours, vraiment toujours. Ces gens ont créé un logiciel basé sur le calcul des probabilités et ils l'ont installé sur des robots et ils les font jouer vingt-quatre heures sur vingt-quatre sur les sites de poker en ligne. Il y a sept niveaux d'investissement ; selon ce que tu investis, le pourcentage des gains est différent et le temps que tu mets à les obtenir est différent aussi. Avec plus d'argent, plus de gains, mais tu attends un peu plus aussi, c'est logique. Donc, si tu me laisses trente mille euros, on me rendra ma part plus soixante-dix pour cent dans cent vingt jours. Je gagnerai vingt et un mille euros ! Je t'en donne mille d'intérêt et il me reste encore vingt mille. Alors je réinvestirai la moitié ; avec dix mille euros j'obtiendrai soixante-cinq pour cent dans trois mois ; et là…

– Arrête, arrête, réussit enfin à dire Soledad, abasourdie. Tu ne peux pas être en train de me dire ça sérieusement…

– Bien sûr que oui. Très sérieusement, s'offusqua Adam.

– Mais… tu ne te rends pas compte que c'est une arnaque ?

– C'est pas une arnaque. Mon ami, ma connaissance, a investi mille euros ; les bénéfices sont à soixante jours. Le premier mois, on lui a donné deux cent cinquante euros ; le deuxième mois, encore deux cent cinquante. À la fin des soixante jours, il avait gagné mille cinq cents, ce qu'il avait mis, plus cinq cents. Maintenant, il a réinvesti les gains. Mais je veux aller plus vite.

– Eh bien ta connaissance est un appât pour l'arnaque ou alors c'est un imbécile. Adam, c'est une escroquerie. Ça ne peut être qu'une escroquerie. Sans parler du fait qu'il s'agirait de quelque chose d'illégal, appliquer un système de calcul et utiliser des robots pour casser le jeu est illégal.

– Tu te trompes. Tu te trompes complètement, fulmina le Russe, les traits durcis par sa colère à peine contenue, sa peau pâle plus pâle que jamais. Tu as tort. Je sais que ça marche. Ça fait quatre ans que le site fonctionne, ça fait quatre ans qu'ils paient. La question est : est-ce que tu vas me laisser cet argent, oui ou non ?

Un trou dans l'estomac, la bouche sèche. Soledad prit sa respiration comme qui se jette dans une piscine :

– Non.

– Et dix mille ? Avec dix mille, on me paierait soixante-cinq pour cent en quatre-vingt-dix jours. Je gagnerais six mille cinq cents euros. Je te rends l'argent dans trois mois et je te donne mille cinq cents euros.

– Non ! Adam, je ne veux pas que tu me donnes plus d'intérêts, tu ne comprends pas ? Ce n'est pas une question d'argent, même si ce sont par ailleurs des sommes très importantes et que je ne les ai pas. Mais ce qui compte, c'est que c'est une escroquerie, une escroquerie ! Personne ne rase gratis. Je ne vais pas te prêter un sou pour cette ânerie.

Adam soupira, troublé, assombri, la respiration agitée et le regard brûlant :

– C'est pas une ânerie. Tu crois que je suis un imbécile ? C'est ça, que tu es en train de dire ? C'est le jeu, bon sang ! Je sais que le jeu a toujours des risques, mais ici le gain est garanti. En plus, *risk blagarodnaïé déla*, le risque est un geste noble. C'est ce qu'on dit chez nous, en Russie.

Je le perds, pensa Soledad. Je suis en train de le perdre pour toujours. L'angoisse inonda sa poitrine et l'engloutit presque. Mais elle ne pouvait pas cautionner une telle folie. Elle tendit timidement la main et lui toucha le bras. Adam eut un sursaut.

– Tu n'es pas un imbécile. Mais tu es désespéré. Et ces gens profitent du désespoir. Le besoin trouble l'entendement, dit-elle avec douceur.

Le gigolo se mit à marcher, se dégageant de sa main d'une bourrade brusque. Soledad le suivit. Ils marchèrent un bon moment sans dire un mot. Finalement, elle montra la terrasse de l'une des buvettes. Elle était protégée par des panneaux en verre et il y avait des radiateurs allumés entre les tables.

– Tu veux qu'on s'assoie et qu'on prenne quelque chose ?

Adam haussa les épaules, mais il se dirigea vers l'endroit. Ils s'installèrent au premier guéridon. Les chaises, métalliques, étaient glacées malgré les radiateurs.

Le Russe soupira à nouveau ; il remua sur son siège et secoua la tête, comme un chien qui essaie de relâcher la pression.

– J'ai besoin de faire quelque chose, Soledad. J'ai besoin de trouver quelque chose, d'obtenir de l'argent à tout prix pour m'en sortir, dit-il, plus tranquille. Je ne supporte pas l'idée de passer toute ma vie dans cette vie de merde. Toi, tu fais quelque chose qui te plaît, tes expositions et tout ça, et tu es respectée, et tu as une belle maison, et tu voyages et… Et moi je vais avoir trente-trois ans et je n'ai rien, rien. Rien.

Le serveur arriva et apporta la carte et des coussins. C'était curieux, pensa Soledad tandis que le Russe examinait le menu en fronçant les sourcils, car elle ne se reconnaissait pas dans ce portrait qu'Adam faisait d'elle. Elle aussi, elle se sentait en manque, vide, dépouillée. Ils demandèrent du vin, des calamars, de la tortilla. Ils trinquèrent sans joie avec leur premier verre. Ils étaient en pleine glaciation. Tout entre eux était glace et distance.

– Tu pourrais me présenter quelqu'un, dit Adam.

Oh, mon Dieu : ce n'est pas encore fini, gémit Soledad pour elle seule.

– Qui ?

– N'importe qui. Qui tu voudras. Des gens importants que tu connais. Je parle le russe, l'anglais aussi bien que l'espagnol, le français presque aussi bien. Je présente bien. J'apprends vite. Je sais pas, si ça se trouve je pourrais travailler dans une galerie d'art. Ils doivent bien avoir besoin de quelqu'un pour parler avec les artistes russes. Nous avons de très bons artistes, comme Vladimir Ryabchikov et… et plein d'autres. Présente-moi à des gens. Je te ferai pas honte, t'inquiète pas.

– Je sais, répondit Soledad, en mentant. Et elle mentit à nouveau : – Laisse-moi y réfléchir pour voir s'il me vient une idée.

Mais en réalité ce n'était pas tout à fait un mensonge : elle essaierait, et peut-être qu'elle réussirait à trouver quelque chose qu'Adam pourrait faire. Ça lui semblait juste très difficile.

Quatre filles d'une vingtaine d'années s'étaient installées à la table d'à côté. Elle les découvrit au regard d'Adam, c'est-à-dire à l'insistance de l'escort à regarder un certain endroit qui se trouvait derrière elle. Soledad se retourna et elles étaient là toutes les quatre, à rire follement et à minauder devant ce garçon tellement beau qui était avec sa mère. C'était le 1er janvier et elles avaient toute l'année et toute la vie devant elles.

– Très mignonnes, marmonna Soledad.

– Qui ? demanda le Russe avec une innocence feinte.

– À ton avis ?

Adam haussa à nouveau les épaules et baissa les yeux, renfrogné. Le gigolo était dans un mauvais jour, comme l'adolescent qui se sent en guerre contre le monde. Soledad avait du mal à respirer : elle avait l'impression que l'air manquait d'oxygène. Ils étaient dans la zone de la mort, ce nom que les alpinistes donnent à cette frange de montagne qui se trouve au-dessus des huit mille deux cents mètres. À cette altitude, le corps commence à mourir, et tenir un jour ou deux ou quatre au maximum dépend de votre résistance personnelle ; mais, si vous ne redescendez pas, vous finirez toujours par mourir. Et Adam était là, le regard à nouveau perdu derrière elle. Son attention captivée par le gazouillis enjoué des filles. Et voilà tout à coup qu'il avait souri. Un sourire irrésistible et lumineux ; un sourire atroce, parce qu'il n'était pas pour elle. La jalousie et le désespoir troublèrent l'esprit de Soledad.

– Tu sors avec quelqu'un ?

– Quoi ? s'étonna Adam.

– Tu as une petite amie ?

Le garçon secoua la tête avec véhémence.

– Non. Rien de rien.

Tu mens, pensa Soledad avec angoisse. Tu mens. Vers la fin de *Mort à Venise*, pas l'opéra mais le roman, Aschenbach croisait Tadzio, qui lui souriait ; et ce geste blessait le vieux professeur comme la foudre, il lui faisait finalement comprendre qu'il était amoureux d'un enfant de quatorze ans. Aschenbach s'enfuyait alors, poursuivi par l'aiguillon mortel de ce sourire, et, se réfugiant dans un jardin, il soliloquait : “Tu ne dois pas sourire ainsi ! Tu m’entends ? Il ne faut sourire ainsi à personne !” Puis il s’effondrait sur un banc et, frissonnant, il murmurait la formule immuable du désir, “Impossible dans ce cas, absurde, abjecte, ridicule et, cependant, sacrée, vénérée même ici : Je t’aime”. Soledad avait sept glaives plantés dans la poitrine, vierge des Douleurs, sept glaives dans le cœur, dans ce muscle primordial et suprême, deux cent soixante grammes de chair et de besoin de tendresse. Absurde elle aussi, ridicule elle aussi, elle aurait également voulu crier je t’aime. Elle dut se mordre les lèvres pour ne pas le faire.

À présent qu'il ne restait plus personne devant elle et que Soledad était la suivante à entrer dans le cabinet de consultation, tous ses maux s'envolèrent comme par magie. Cela lui arrivait tout le temps : ses molaires lui faisaient mal jusqu'à l'instant précis de franchir le seuil du dentiste, son dos était raide jusqu'à ce qu'elle s'allonge sur la table du physiothérapeute et elle avait des problèmes de vue jusqu'à ce que ce soit son tour chez l'ophtalmo. Experte en guérisons miraculeuses, Soledad s'efforçait de combattre ses obsessions hypocondriaques et n'était pas allée chez le médecin depuis longtemps. Mais elle était à un très mauvais âge ; arrivé à un certain point de maturité, le corps commençait à se démanteler par à-coups et toutes sortes de symptômes alarmants apparaissaient du jour au lendemain, hérauts de la maladie et de la mort. Cette fois, cela faisait des semaines que Soledad souffrait d'une boursoufflure et d'une douleur persistante dans l'articulation du pouce de la main gauche, preuve irréfutable qu'une horrible détérioration arthritique déformante s'était déclenchée en elle ; qui plus est, elle ressentait une tension pratiquement insupportable dans les reins, qui lui faisait penser à une hernie lombaire ; et elle avait de la tachycardie et des palpitations. Mais ce qui l'avait poussée à appeler son médecin traitant et à demander un rendez-vous avait été une boule qu'elle s'était découverte sous la mâchoire deux jours plus tôt, une boule dure, ronde et glissante qui faisait mal quand on appuyait dessus. Ça y est, il est là, avait-elle pensé, couverte de sueur. Elle avait été rattrapée par son poursuivant. Sa tumeur. Son cancer.

Eh bien, elle avait beau appuyer maintenant sur toute sa mâchoire, elle n'arrivait plus à retrouver sa boule.

– Entrez, Soledad.

Le docteur Serra avait peut-être vingt ans de moins qu'elle, mais il la traitait avec un paternalisme patient et affectueux. Soledad se sentait toujours un peu comme une petite fille devant lui.

– Alors, qu'est-ce que vous avez aujourd'hui ?

– Qu'est-ce que j'ai aujourd'hui, qu'est-ce que j'ai aujourd'hui... Comme si je venais vous casser les pieds tous les jours. Ça faisait longtemps que je n'étais pas venue, protesta-t-elle.

Le médecin regarda ses notes.

– C'est vrai. Six mois. Qu'est-ce qui vous arrive ?

Soledad baissa la tête, un peu honteuse.

– Eh bien... j'ai ce doigt qui me fait mal... je crois que j'ai de l'arthrite... Et le dos... Et les tachycardies... Mais en réalité, je viens parce qu'il y a deux jours je me suis découvert une boule là en-dessous, à la mâchoire.

– Voyons voir, dit l'homme en se levant.

– C'est que... maintenant je n'arrive plus à la trouver. Hier soir, elle était là, hein. Hier soir, je la touchais et on la sentait très bien. La boule était là. Et elle me faisait mal. Mais maintenant je ne réussis pas à mettre la main dessus.

Le médecin sourit et, s'approchant d'elle, se mit à palper son cou. Systématiquement, avec lenteur, minutie et attention. Soledad le regardait faire, abandonnée à la sagesse de ses doigts. Serra était plus petit qu'elle, un peu bigleux et rondouillard, pas du tout séduisant, en vérité ; mais qu'il la soigne et lui caresse le visage la faisait se sentir aux anges. C'était certainement un père parfait. Un père incapable d'abandonner ses filles dans une foire.

– C'était là ?

– Oui... plus ou moins, je crois.

– Alors ça devait être une inflammation d'un ganglion. Vous avez dû avoir une petite infection dans la bouche, ou dans la gorge. Et le ganglion s'est enflammé. Un processus très commun. Il suffit d'avoir une baisse des défenses. Mais vous allez déjà mieux. Je ne vous trouve rien. Comment dormez-vous ? Est-ce que vous vous sentez plus nerveuse que d'habitude ces derniers temps ?

Plus nerveuse ? Cela fit à Soledad l'effet d'un euphémisme, d'une façon pauvre et terne de qualifier son état. Elle se sentait accablée, angoissée, déchirée, toquée, ravagée, déconcertée, paumée, ratée, triturée, oppressée, très malheureuse et, pour finir, à moitié morte. Mais tout ceci était inconvenant à dire.

– Oui, je suis assez stressée. J'ai beaucoup de travail, je suis en train de préparer une exposition très importante, enfin, vous savez...

– Vous prenez tout trop à cœur. Et après vous vous faites toutes ces peurs, toutes ces maniaqueries avec la santé... Vous vous effrayez tout de suite et ça vous rend encore plus nerveuse.

– Je sais que je suis un peu hypocondriaque. Mais mes parents sont tous les deux morts d'un cancer, il y a de quoi avoir un peu peur...

Le médecin eut une expression de surprise et consulta son dossier :

– Les deux ? Mais vous m'aviez dit que vous ne saviez plus rien de votre père depuis vos cinq ans...

Les mots du docteur Serra la percutèrent. Elle ressentit une très brève sensation d'étrangeté, un étourdissement, un petit mal au cœur. Bien sûr qu'elle ne savait pas ce qui était arrivé à son père. Elle ignorait même s'il était encore vivant. Mais pendant tant d'années elle avait souhaité qu'il soit foudroyé par un cancer que, dans son imagination, c'était ce qui était arrivé. Elle tressaillit : elle redoutait parfois de vivre dans un monde aussi délirant que celui de Dolores.

– Oui, mais... on m'a dit que... J'ai eu des nouvelles comme quoi il avait eu un cancer... de la prostate, improvisa-t-elle.

– Bon. Au moins, cette tumeur-là vous ne pouvez pas en hériter, sourit le médecin tout en notant l'information dans son dossier.

Un nœud de larmes serra la gorge de Soledad, qui lutta pour qu'il ne monte pas jusqu'à ses yeux. Ses mains tremblaient.

– Et en plus… en plus je suis un peu folle, murmura-t-elle.

– Non. Vous n'êtes pas folle, dit le médecin avec une assurance réconfortante et débonnaire. Vous êtes triste et fatiguée. Je vais vous prescrire des vitamines. Et de l'Orfidal, pour que vous dormiez un peu la nuit.

Le bijou de l'exposition, le cratère narratif, la perle qui se cacherait au centre de la spirale (à condition que Soledad arrive enfin à ce que l'expo adopte cette structure : elle rencontrait toutes sortes de problèmes avec l'architecte), serait l'histoire de Luis Freeman, pseudonyme de l'auteur espagnol Josefina Aznárez. Le cas ahurissant de cette romancière avait toujours ému et fasciné Soledad : il n'était par ailleurs pas très connu, bien qu'il s'agisse d'une péripétie extraordinaire. De fait, c'était Soledad qui avait sorti Josefina de l'ombre quinze ans plus tôt, à l'occasion de Symbolistes et Diaboliques, l'exposition qu'elle avait montée à Triángulo. L'un des tableaux était *Le Gentilhomme incertain*, du peintre rosicrucien de Santander, Rogelio de Egusquiza : le portrait sur fond obscur, éclairé seulement par les braises d'une lanterne rougeoyante, d'un homme séduisant d'âge moyen, aux yeux noirs dont les pupilles étaient dilatées par le laudanum ou la folie ou la peur, à la mâchoire carrée, à la bouche fine et serrée, en habit sombre à gilet ; tout entier rigoureusement formel, l'image même de la probité, s'il n'avait eu ces yeux détraqués et ces mains molles et blanches, aux doigts féminins surchargés de bagues, qui tenaient avec langueur un petit éventail en plumes. En cherchant des documents sur l'étrange tableau, Soledad était tombée sur l'histoire, qui avait causé quelques remous dans les journaux du XIXe siècle. Josefina était devenue l'attraction la plus importante de Symbolistes et Diaboliques ; les médias avaient beaucoup parlé du personnage et la journaliste Rosa Montero lui avai consacré un profil biographique. Mais ensuite, avec l'inconstante frivolité de la mémoire publique, les eaux de l'oubli s'étaient à nouveau refermées sur elle. Il était temps de la refaire monter sur scène.

Josefina Aznárez était née en 1856 à Santander, fille unique d'un avocat spécialisé dans le transport et le commerce maritime. Ses rares photographies la montrent mince et anguleuse, aux cheveux raides docilement attachés sur la nuque et aux grands yeux pénétrants et tristes. Pour le goût actuel elle était séduisante, une sorte de Françoise Hardy du XIXe siècle, mais à son époque elle fut considérée comme une véritable horreur, trop grande, trop osseuse, peu féminine avec sa petite poitrine et ses habits austères. De plus, elle avait toujours fait preuve d'une intelligence vive, d'une curiosité insatiable ; à dix-huit ans, alors que les autres jeunes filles de son âge ne vivaient que préoccupées par les rubans de satin et les carnets de bal, elle avait déjà lu la remarquable bibliothèque de son père et avait appris toute seule le latin, l'anglais et le français. Toutes ces vertus n'étaient que des défauts dans son milieu social ; la demoiselle n'était même pas assez riche ou assez aristocrate pour se permettre des extravagances. La petite bourgeoisie de Santander, à laquelle elle appartenait, était implacable.

De sorte qu'Aznárez devint peu à peu, à mesure qu'elle vieillissait sans prétendants, le laideron officiel de la ville, la vieille fille modèle. “Pauvre Josefina !” s'exclamait-on dans son dos avec la fausse compassion et la délectation joyeuse de se croire largement supérieur à elle. On la jugeait fade, ennuyeuse et d'une timidité insupportable, sans savoir que si Aznárez ne parlait pas, ce n'était pas par pusillanimité, mais par orgueil, parce qu'elle les méprisait. Et sa vie se passait ainsi, dans cette médiocrité. Sans la littérature, sans les livres qu'elle lisait et relisait avec passion, et sans les romans qu'elle écrivait en cachette de son inflexible père, Josefina se serait peut-être suicidée. Son premier ouvrage, *Point de croix*, traite précisément de cela ; d'une vieille fille qui se jette sous un train, comme Anna Karénine.

Elle avait trente-trois ans lorsque sa mère mourut, et trente-cinq lorsque son père fut foudroyé par une apoplexie, lui laissant en héritage une fortune modeste mais rassurante. Enfin maîtresse de sa vie, la première chose que fit Josefina en rentrant du cimetière, d'après ce qu'elle raconta dans son journal, fut de sortir du fond du coffre la boîte en bois dans laquelle elle cachait ses écrits : "Assise à même le sol, encore dans mon habit de taffetas noir, sans m'être changée, je revis mes pauvres pages et je compris que, femme et seule, je ne pourrais jamais les publier ; et il me sembla que le deuil que je portais était celui de la mort de mes illusions", nota-t-elle. C'était la dernière entrée de l'agenda ; il se peut qu'elle n'ait pas continué d'écrire, ou peut-être que les autres carnets se perdirent. Quoi qu'il en soit, le reste de son existence devait être reconstruit de l'extérieur, d'après les notes parues dans les journaux et les déclarations de police.

On savait qu'en 1892, quatre mois environ après que Josefina s'était retrouvée orpheline, un gentilhomme d'âge moyen dénommé Luis Freeman arriva à Santander. Il était riche, écrivain, célibataire, cultivé. Il était élégant et beau, un homme du monde. Il était né à La Havane, fils d'une Espagnole et d'un officier anglais ; puis il avait résidé à New York, où ses romans, disait-on, faisaient fureur. Un avocat avait loué pour lui à Santander un premier étage cossu dans la calle Atarazanas ; comme par hasard, celui-ci se trouvait juste en face de la maison de Josefina Aznárez : ses fenêtres à lui regardaient ses balcons à elle, au-delà des mouvements de la rue centrale. Dès son arrivée en ville, Freeman alla chez le tailleur en vogue se faire faire des habits. Il passa commande d'une garde-robe formidable, parla à tour de bras et paya avec largesse ; le tailleur courut raconter à tout Santander l'apparition d'un personnage si intéressant. Les familles s'empressèrent de l'inviter, les salons rivalisaient pour l'avoir et le Cubain devint l'attraction du moment. Toutes les mères de jeunes filles à marier le placèrent dans leur ligne de mire et les demoiselles de bonne famille battaient des paupières et soupiraient en sa présence. Personne ne soupçonna, pas même un seul instant, que ce type grand et bien de sa personne au doux accent étranger était la pauvre Josefina.

Depuis la mort de sa mère, et plus encore après celle de son père, Aznárez avait cessé de mener cette vie sociale qu'elle détestait mais à laquelle elle s'était auparavant vue obligée par sa docilité de gentille fille. De sorte que sa disparition des salons bondés de demoiselles ravissantes et de matrones avides avait facilité l'apparition de Luis. Sur ses photos en Freeman, elle était très convaincante : elle ressemblait à un homme et, qui plus est, séduisant. Ses mains étaient grandes et jolies, sensibles mais viriles, rien à voir avec les petites mains féminines et choquantes, couvertes de bijoux, qu'Egusquiza lui avait mises dans le portrait du *Gentilhomme incertain* : à ce moment-là, tout avait été découvert et le peintre était en train de réaliser une œuvre symbolique. Si, en tant que femme, Josefina était pratiquement considérée comme un monstre, en tant qu'homme elle était vue comme un prince. Soledad se réjouissait toujours d'imaginer cette partie, la délectation d'Aznárez, sa revanche secrète. Qui plus est, Freeman était sympathique, joyeux, un narrateur merveilleux ; Josefina ne se vengeait pas seulement de la société de Santander : elle se vengeait aussi de la vie. Quant à l'idée de louer un appartement pour le faux Luis juste en face de chez elle, cela pouvait sembler un geste trop audacieux et même risqué, mais en réalité c'était très pratique et cela réduisait le danger, car personne ne se serait étonné de voir apparaître l'un ou l'autre dans la même rue. La scène primordiale autour de laquelle Soledad pensait structurer la section de Josefina était en fait celle-ci, la naissance de Freeman, l'arrivée du Cubain dans la calle Atarazanas, avec ses malles sur le trottoir, en train de regarder la maison d'en face, les balcons entrouverts de Josefina, les rideaux flottant légèrement dans la brise.

Au début, tout parut fonctionner à merveille. Après avoir pris contact avec un éditeur, Freeman publia son premier roman, *Point de croix*, un mélodrame acceptable avec des ingrédients de critique sociale et de mystère qui obtint un succès immédiat et catapulta davantage le Cubain vers la célébrité. Son nom arriva jusqu'à Madrid et les familles de la Cour commencèrent à l'inviter. Il faisait traîner ; voyager était risqué et impliquait de devoir également faire sortir Aznárez de la ville. Tout le temps que dura la supercherie, la romancière vivait chaque jour les deux vies à la fois, quelques heures en tant que lui et quelques heures en tant qu'elle. Elle s'était coupé les cheveux comme un garçon et utilisait des perruques et des chapeaux pour être elle-même. C'est-à-dire que, d'une façon ou d'une autre, songea Soledad, elle se déguisait dans les deux identités. Il y avait un portrait d'elle en tant que Josefina à cette époque et elle était horrible, comme si elle avait éprouvé une délivrance à apparaître encore plus laide dans son destin de femme et rutilante en revanche travestie en homme.

Dix mois plus tard, elle publia son deuxième roman, *Le Carnaval*, qui fut aussi un grand succès ; mais la pression de cette existence dissociée devait alors être insupportable. Probablement sa créature avait-elle obtenu trop de célébrité ; peut-être Josefina n'avait-elle jamais imaginé que cela marcherait aussi bien. Alors, harcelé par les jeunes filles à marier, Freeman déclara qu'il ne pouvait s'engager avec personne parce que son cœur n'était pas libre : et il confessa à tout Santander son amour pour sa voisine, Josefina Aznárez. Un amour sans espoir, expliqua-t-il, car celle-ci le rejetait encore et encore sans aucune pitié. La bonne société fut épouvantée par la nouvelle ; ils ne purent d'abord pas comprendre, mais ensuite, comme c'était trop humiliant pour eux de supposer que l'homme en vogue préférait une vieille fille ridicule et atroce plutôt qu'eux, ils décidèrent de croire qu'ils avaient toujours vu quelque chose de spécial chez cette pauvre Josefina, une spiritualité, une force intérieure, un je ne sais quoi. Ils recommencèrent donc à la convier à leurs salons et, devant sa réticence à accepter, ils se mirent à se présenter chez elle à l'improviste, lui rendant visite aux heures les plus incongrues. Soledad ne savait pas bien si la déclaration d'amour de Luis pour Josefina n'était qu'une simple stratégie pour se débarrasser de la pression des marieuses, ou si ce fut l'ultime vengeance de la romancière, son triomphe final. Il se pouvait même, à ce moment-là, que la raison d'Aznárez ait décliné, que la réalité et la fiction se soient mélangées, qu'elle ait véritablement cru que personne ne pouvait l'aimer aussi profondément que le personnage qu'elle avait elle-même inventé. Quoi qu'il en soit, ce fut le début du désastre.

Les choses atteignirent un tel paroxysme que la situation ne semblait pas pouvoir se maintenir beaucoup plus longtemps, si bien que Josefina réfléchit à la façon de s'enfuir. Pendant un temps, elle transféra la majeure partie de son argent et tout celui de Luis dans des banques étrangères, elle acheta de l'or et des actions d'entreprises internationales. Et, pour finir, par un jour venteux de novembre 1893, un an et demi après l'arrivée en ville de Freeman, elle mit son plan en marche.

C'était une idée compliquée mais ingénieuse. Dans la soirée du 2 novembre, près de minuit, Luis Freeman demanda au veilleur de nuit de lui ouvrir la porte de l'édifice de Josefina. L'homme fut étonné par l'heure et par la nervosité dont faisait preuve le gentilhomme cubain, mais il y consentit parce qu'il connaissait bien Freeman, qui était, de tous les habitants de la rue, celui qui lui donnait toujours les plus gros pourboires. Une fois chez elle, la romancière, qui était seule parce que c'était le jour de congé de la bonne, plaça deux petits verres avec des restes de vin doux sur la table et renversa quelques chaises, jeta plusieurs coussins, simula, enfin, le décor d'une lutte violente. Comme touche finale, elle tacha de sang de bœuf un élégant poignard français incrusté de nacre que Freeman avait l'habitude de porter sur lui (il disait que c'était un souvenir de son père) et le jeta par terre. Après quoi, elle attendit que la nuit commence à pâlir et, toujours vêtue en Luis, elle sortit sans que le veilleur de nuit ne la voie, en charriant un imposant paquet qui contenait un mannequin en chiffons de grandeur nature qu'elle avait elle-même cousu et paré ensuite de ses vêtements de femme et d'une perruque. Elle prit un fiacre et en descendit à l'entrée du port, puis elle marcha jusqu'au quai en faisant comme si le sac pesait assez lourd, au cas où le cocher viendrait à être interrogé. Dans la triste et sale clarté de l'aube, elle monta discrètement à bord de l'un des bains publics flottants, encore fermés à cette heure-ci. Ainsi qu'elle le prévoyait, à une centaine de mètres de distance, sur les quais d'amarrage, les débardeuses étaient déjà en train de travailler au déchargement d'un bateau de marchandises. Aznárez attendit jusqu'à s'assurer que les porteuses l'avaient vue et, soulevant spectaculairement le mannequin, elle s'exclama : "Adieu, Josefina !" et le jeta à l'eau. D'après ce que déclarèrent ensuite les femmes, ce fut un cri guttural, terrifiant et très authentique. Ce que ne savaient pas les débardeuses, c'est qu'elle n'avait pas réellement lancé le pantin à la mer, mais au sol ; et que, s'abritant dans l'ombre, elle le remit dans son paquet et s'en alla. Cinq minutes plus tard, elle montait avec son sac sur la passerelle du *North Star*, un bateau à destination de Southampton dont le départ était prévu à cinq heures de l'après-midi et auquel elle avait préalablement fait envoyer ses bagages de Luis Freeman. Lorsque tout fut fait, Josefina s'enferma dans sa cabine de première classe et se mit à attendre. Sa bonne ne rentrerait pas à la maison avant sept heures du soir ; ce serait à ce moment-là qu'elle verrait la scène du crime, le poignard, le sang. Qu'elle donnerait l'alerte. Il existait la possibilité que les débardeuses se rendent à la police avant, mais Josefina en doutait, et puis, quand bien même elles l'auraient fait, sans corps on ne leur prêterait aucune attention. Leur témoignage viendrait bien après, pour compléter le puzzle, mais ce serait beaucoup trop tard et Josefina serait déjà en lieu sûr en Angleterre. Et de là, au Brésil : on retrouva un billet dans sa valise. Avec une élégante minutie de romancière, elle avait laissé chez Freeman une lettre à moitié écrite adressée à Josefina : "Si tu me rejettes encore, je commettrai une folie..."

Oui, c'était un plan diablement compliqué, une histoire que seule l'imagination fébrile d'un auteur de mélodrames pouvait ourdir, mais elle l'accomplit à la perfection et cela aurait pu marcher. Cependant, le destin est parfois aussi cruel qu'un chat jouant avec une souris avant de la dévorer. Ce 3 novembre 1893, à une heure et demie de l'après-midi, un incendie se déclara sur un bateau accosté à un quai non loin de là. C'était le *Cabo Machichaco*, un vapeur qui effectuait un service de cabotage entre Bilbao et Séville. Il transportait un chargement de plusieurs bonbonnes d'acide sulfurique et le feu se déclara lorsque l'une d'elles explosa. Ce que l'on ne savait pas, c'est que le vapeur transportait également cinquante et une tonnes de dynamites. À cinq heures de l'après-midi, juste au moment où le *North Star* était en train de larguer les amarres, les flammes, qui n'avaient pas encore pu être maîtrisées, firent voler le *Cabo Machichaco* dans les airs. Une onde de choc brutale parcourut la baie et plusieurs édifices s'écroulèrent. L'explosion fut d'une telle force qu'un lourd cordage du bateau arriva jusqu'au village de Peñacastillo, à cinq kilomètres de distance, tuant un homme dans sa chute. Divers restes humains volèrent également : on retrouva deux jambes sur le toit d'un entrepôt de bois à deux kilomètres du quai. Après l'explosion, un incendie ravagea de nombreuses demeures de la ville. Cinq cent quatre-vingt-dix personnes moururent et il y eut des centaines de blessés. Ce fut la plus grande tragédie civile du XIXe siècle en Espagne, et elle tomba précisément sur Josefina Aznárez. N'était-elle pas une maudite parfaite ?

Une semaine après ce 1er janvier maussade, Soledad appela Adam pour le voir.

– Je sais pas s'il faut qu'on se voie. Je vais pas bien du tout, répondit le Russe avec une voix nasale méconnaissable.

Il avait de la fièvre, mal à la gorge, il toussait. Par-dessus le marché, la chaudière était cassée chez lui et il n'avait ni eau chaude ni chauffage.

– Avec le froid qu'il fait ! Tu vas attraper une pneumonie. Fais une réclamation à ton propriétaire, dis-lui de te réparer la chaudière, s'inquiéta Soledad.

– Je l'ai fait. Il leur manque une pièce. Ils vont mettre trois ou quatre jours à la recevoir.

Il avait l'air si abattu, si déprimé.

– Viens à la maison, dit Soledad sans réfléchir, dans l'impulsion du moment. Viens jusqu'à ce qu'ils te réparent la chaudière. En amis. Je m'occuperai de toi.

Il y eut un silence à l'autre bout du fil. Je suis en train de faire une erreur, pensa-t-elle. Je n'aurais pas dû l'inviter.

– Vraiment, tu ferais ça pour moi ? dit Adam.

– Bien sûr que oui, répondit-elle, alors qu'une partie d'elle-même aurait voulu dire : bien sûr que non.

– Eh bien merci. Merci. J'arrive.

Soledad raccrocha, très nerveuse. À moitié émue, à moitié abasourdie et inquiète. Une petite lumière rouge d'alarme s'alluma dans sa tête, mais elle la repoussa bien au fond.

Adam arriva au bout de trois quarts d'heure avec un peu de rechange dans un sac de sport. Il était plus pâle que d'habitude et avait les yeux rougis. Soledad l'embrassa chastement sur la joue : il était brûlant.

– Allez, mets-toi au lit. Je vais te faire un jus d'orange.

Quand elle lui apporta le verre, elle le trouva blotti sous les couvertures comme un enfant. Son nez dépassait à peine.

– Merci. Personne avait jamais fait quelque chose comme ça pour moi, dit-il.

Tendre, désarmé, abandonné.

– Quoi donc, te préparer un jus ? plaisanta-t-elle, mais elle était très émue.

Elle le voyait triste et brisé, si bien qu'elle s'appliqua à prendre soin de lui. Elle détestait cuisiner, mais elle lui fit une omelette, elle lui acheta du jambon cuit et des petits pains croustillants, elle lui pressa la moitié d'une récolte levantine d'agrumes. Elle se sentait tellement bien d'être là, à le dorloter, qu'elle n'eut même pas peur d'être contaminée. Et, en effet, elle ne fut pas contaminée.

Pendant deux jours, tout fut parfait. Le troisième, le vendredi, ils firent l'amour : Adam était déjà presque rétabli. Ce fut un rapport charnel affectueux et naturel, plein de complicité et de tendresse. Là, c'est sûr, il n'a pas dû prendre de Viagra ni de Cialis, pensa-t-elle, pleine d'espoir, et elle fut sur le point de le lui demander. Mais elle se tut au dernier moment, car on ne doit pas poser de question dont on craint de connaître la réponse. Et puis, à quoi bon se torturer alors que tout baignait ? Soledad devait aller à Barcelone afin de participer à un congrès européen sur le mécénat et la gestion publique dans l'art : elle se sentait tellement angoissée par l'augmentation de ses dépenses qu'elle acceptait tous les contrats qu'on lui proposait. Sa conférence avait lieu le samedi, mais tellement tard qu'il n'y avait pas de train de retour et qu'elle devait rentrer le dimanche. On la payait bien, mais elle regrettait de devoir briser cette petite bulle de bonheur et de bien-être.

– Je voudrais te demander un service, dit tout à coup Adam.

Ils étaient encore au lit, nus, sa tête à elle appuyée sur la poitrine du Russe, qui l'enveloppait de ses bras. Là-dessous, à l'intérieur de ce corps puissant, palpitait le cœur du garçon. Un battement tranquille qui résonnait à l'oreille de Soledad.

– Je sais que tu t'en vas demain, mais ils répareront pas la chaudière avant lundi. S'il te plaît, laisse-moi rester là. Si je vais dans mon horrible appartement, si glacé et avec les fenêtres qui ferment pas bien et si déprimant, je suis sûr que je vais retomber malade.

Soledad sentit une secousse dans son estomac. Sans le vouloir, elle retint son souffle et se pétrifia. Adam remarqua immédiatement sa tension. Il la repoussa avec douceur pour l'écarter et s'assit sur le lit.

– C'est rien, j'ai rien dit. Pardon, Soledad. T'inquiète pas. Tu en as déjà trop fait pour moi. Je m'en vais, dit-il d'un ton raisonnable pendant qu'il remettait ses chaussettes.

– Mais... attends. Tu peux rester jusqu'à demain matin, balbutia-t-elle.

– Non, pour de bon. T'inquiète pas. Il vaut mieux que je parte maintenant. Pardonne-moi d'avoir demandé, j'aurais pas dû. Merci beaucoup pour tout. Pour de bon.

Il était débout en train de chercher son caleçon, nu mais en chaussettes. Il avait une allure familière et facétieuse.

– Non, toi pardonne-moi. C'est que... enfin, je ne sais pas, ce n'est pas que je n'aie pas confiance en toi, mais c'est comme un degré d'intimité que... Mais bon, d'accord, reste là, ce n'est pas grave, dit finalement Soledad.

Les alarmes se mirent à sonner à l'intérieur d'elle.

– Ne te sens pas obligée...

– Non, sérieusement, reste là.

Les sirènes augmentèrent de volume.

Adam sourit, une mimique explosive, le soleil brisant les nuages après l'orage, et il se remit au lit d'un bond avec une expression de pur bonheur dansant sur son visage.

– Super ! L'idée de m'en aller maintenant dans ce frigo horrible qu'est ma maison me tuait. Merci beaucoup.

Et je vais être obligée de lui donner les clefs, pensa Soledad, la bouche sèche. Alarmes hurlantes, lumières rouges aveuglantes du danger. Qu'elle s'empressa de piétiner et d'enfouir dans les zones abyssales de sa conscience.

Bien qu'elle détestât se lever tôt, Soledad avait pris le train de 8 h 30 du matin car elle avait hâte de rentrer chez elle. Loin de l'influence intoxiquante d'Adam, le fait de lui avoir confié ses clefs, de l'avoir laissé dans son appartement, lui semblait une folie de plus en plus grande. "Homme bon, homme bon", lui avait dit deux jours plus tôt la Chinoise du magasin d'alimentation dans son espagnol épouvantable, en se cramponnant aux mains de Soledad avec émotion. Son mari avait survécu au coup de couteau de l'agresseur et ils étaient tous les deux de retour, très reconnaissants de l'intervention d'Adam. "Homme bon, homme bon", répétait la Chinoise comme un mantra, et Soledad désirait ardemment la croire. Mais elle ne revoyait à présent dans son souvenir que le poing féroce du Russe qui s'abattait encore et encore sur la tempe du type. Un homme capable d'une telle violence pouvait-il être bon ? Soledad sentit son angoisse s'accroître et la peur tourner dans son estomac comme un lion dans sa cage. Le trajet Barcelone-Madrid ne durait que deux heures et demie, mais chaque minute lui semblait une éternité. Elle avait parlé avec le Russe la veille au soir et il lui avait répondu dans la rue. S'il se sentait trop mal en point pour retourner dans son appartement, pourquoi était-il sorti ? Ou, pire encore, pour qui ?

Crispée, se sentant fébrile (et s'il lui avait finalement refilé sa grippe ?), Soledad saisit le journal pour tenter de se distraire. La première page dégoulinait du sang de plusieurs attentats et ne lui parut pas le plus indiqué pour apaiser son anxiété, si bien qu'elle prit le supplément du dimanche et se mit à le feuilleter. Mode, interviews, un reportage sur la fonte des pôles… Et, soudain, Marita. Marita Kemp, cette foutue architecte, en pleine photo couleur, souriante et imbue d'elle-même, avec un tableau abstrait dans son dos et deux adolescents à ses côtés, une fille et un garçon, sans doute ses enfants. Assez laids et, qui plus est, gros, surtout le gamin, pensa Soledad avec une satisfaction mesquine : cette snob devait certainement très mal vivre cet embonpoint. Le tableau était un Rothko, c'était le Rothko orange et jaune du Reina Sofia, de sorte que l'instantané avait dû être pris au musée. Elle lut la légende : Marita Kemp, architecte d'expositions et d'événements, avec ses enfants Borja et Laura. Mais qu'est-ce qu'elle faisait là ? Soledad tourna la page pour chercher le début du reportage ; il y avait d'autres photos d'hommes et de femmes dans des cadres différents, toujours accompagnés d'enfants. *Le mot à la mode est concilier*, s'intitulait l'histoire. Elle commença à lire rapidement le texte, en diagonale, sans entrer dans les détails. Différents professionnels essayant de combiner leur travail avec l'éducation de leurs enfants. Ou plutôt, il manquait une nuance importante : différents professionnels en pleine réussite essayant de combiner leur travail triomphal avec leur marmaille. Quand elle trébucha sur le nom de Marita, Soledad décéléra sa course lectrice et se plongea avec attention dans le reportage. Des éloges ronflants de Kemp faits par la journaliste, qui, en définitive, devait vendre à la hausse la valeur de son article et, par conséquent, celle de ses interviewés ; des déclarations fades et standards de l'architecte… Tout à coup, Soledad se redressa sur son siège, les yeux exorbités, un doigt de glace descendant sur sa nuque : "Le prochain projet de Kemp est une exposition qu'elle prépare pour la Bibliothèque nationale : 'Il s'agit de l'expo la plus importante jamais réalisée en ce lieu, car elle disposera du fonds Duque de Ruzafa. Je n'avais jamais travaillé avec la bibliothèque auparavant, mais s'agissant d'un événement aussi important, ils ont pensé qu'ils avaient besoin de quelqu'un ayant l'expérience des grandes expositions et ils ont fait appel à moi. Nous allons l'intituler Écrivains excentriques et je suis sûre qu'elle va être magnifique. Mais, bien sûr, c'est quand on a un travail d'une telle responsabilité qu'il devient plus difficile de concilier.'" Soledad ne pouvait pas le croire : ils avaient besoin de quelqu'un ayant l'expérience des grandes expositions et ils avaient donc fait appel à elle ? On aurait dit que Marita était la propriétaire de l'idée, la responsable de l'expo. Et elle, ils ne la citaient même pas ! Et depuis quand est-ce que ça s'intitulait Écrivains excentriques ?

Enflammée de fureur, elle appela la directrice de la bibliothèque, oubliant dans son aliénation qu'elle détestait parler au téléphone et qu'elle exécrait encore plus le faire dans le train. Santos Aramburo répondit à la première sonnerie :

– Je n'en crois pas mes oreilles, Soledad. Comment vas-tu ?

Elle décida de s'épargner les salutations et d'entrer directement dans le vif du sujet.

– Ana, tu as lu le supplément dominical d'*El País* d'aujourd'hui ?

– Eh bien pas encore, non, parce que je ne sais pas si tu réalises qu'il est neuf heures du matin et que nous sommes dimanche, et en vérité je suis encore au lit.

– Ah ! Pardon. Je suis désolée…

– Ce n'est rien. J'étais réveillée. Je ne l'ai pas lu, mais je suppose que tu appelles à cause de Marita…

– Oui…

– Elle me l'a envoyé hier par mail pour que je sache que ça allait paraître.

Ana se tut et Soledad aussi, attendant les prochaines paroles de la directrice. Mais comme celles-ci tardaient à venir, ou du moins c'est ce qui lui sembla, elle bredouilla :

– Et tu en as pensé quoi ? Moi, j'hallucine !

– Oui, c'est un peu hallucinant mais je ne crois pas que ça ait une bien grande importance. Elle m'a dit qu'elle avait donné ton nom et que la journaliste ne l'avait pas mis, peut-être que c'est vrai...

– Je ne crois pas. Et le coup des Écrivains excentriques ?

– Oui, ça, ça m'embête davantage, parce que qui lui a demandé à elle de changer unilatéralement le titre de l'expo et en plus de le lâcher dans la presse ?

– De prétendre le changer, précisa Soledad, de plus en plus nerveuse.

– Marita se sent forte parce qu'elle a Triple A derrière elle, Soledad, voilà le problème. À propos du titre, elle m'a dit qu'Écrivains maudits était ambigu, que tu n'avais pas été capable de délimiter dans une définition cohérente ceux que tu appelles des maudits et pourquoi, que parmi les écrivains que tu as choisis il y a des cas très différents, et qu'elle pensait, et que Triple A aussi, qu'"Écrivains excentriques" réglait la question, parce que c'étaient tous des excentriques, bien sûr.

– C'est le comble.

– Bon, Écrivains excentriques n'est pas non plus un mauvais titre. C'est attractif...

– Et superficiel.

– Peu importe, je ne suis pas en train de dire que nous le changeons, ou plutôt si, si avec ça les relations s'améliorent. Cette exposition est à toi, Soledad, et à vrai dire je commence à en avoir marre de Marita. Mais elle est à bord du navire, qu'est-ce qu'on peut y faire ? Et en plus elle est devenue très copine avec, disons, notre armateur. Elle s'est liée d'amitié avec notre Onassis. Alors, il va nous falloir beaucoup de tact. Écoute, ce reportage n'a aucune importance. Demain personne ne s'en souviendra. Ce qui compte, c'est la lame de fond. Ce qui compte, c'est qu'il faut que tu mettes le turbo, Soledad ; il faut que tu viennes plus souvent à la bibliothèque, et que tu parles plus souvent avec Marita et avec Triple A. Je sais que, en bonne artiste que tu es, tu préfères travailler seule. Mais dans le cas présent, c'est comme ça... Il faut que tu disputes à Marita son influence, et ça, tu ne peux le faire qu'en apparaissant.

Soledad écoutait, consternée. Elle ne savait pas faire ça. Elle ne savait pas intriguer. Ni conquérir les gens dont les têtes ne lui revenaient pas.

– Je ne sais pas faire ça.

– Mais si, tu sais, et tu le feras, parce qu'il n'y a pas d'autre solution. Ne t'inquiète pas, je vais t'aider. Je suis et je serai avec toi. Courage, nous allons faire une exposition merveilleuse, tu verras.

Elle raccrocha en ressentant un désir net et détaché de mourir. Disparaître, s'effacer, ne pas exister, ne pas lutter, ne pas échouer. Raide, transpirant, la bouche sèche et le cerveau tournant tellement vite qu'elle n'arrivait pas à comprendre ses propres pensées, Soledad s'assit bien droite dans son fauteuil et tenta de se concentrer sur sa respiration, de se détendre un peu, de serrer ses lèvres pour ne pas lâcher des mots à haute voix, pour ne pas s'insulter, comme elle le faisait parfois dans ses soliloques lorsqu'elle était prise de désespoir.

Deux heures plus tard, à son arrivée à Madrid, elle avait réussi à se calmer suffisamment. Maintenant, plus que désaxée, elle était déprimée.

Elle prit aussitôt un taxi et, à midi pile, elle sortait de l'ascenseur sur son palier. Elle n'avait pas voulu appeler Adam dans la matinée, elle ne savait pas très bien pourquoi ; ou plutôt si, peut-être était-elle mue par le désir puéril et stupide de le prendre par surprise, de voir ce qu'il était en train de faire. Le Russe savait qu'elle revenait dimanche, mais il ignorait quand. Elle lui avait juste vaguement dit qu'elle arriverait en début d'après-midi.

Elle laissa son petit sac de voyage par terre et mit la clef dans la serrure. Et elle resta là immobile. C'est-à-dire qu'elle ne la tourna pas, qu'elle ne la bougea pas, qu'elle n'arriva pas à faire fonctionner le mécanisme. Il était bloqué.

– Mais qu'est-ce que… ?

Elle sortit la clef, la regarda et la re-regarda pour vérifier que c'était bien la bonne, ce que par ailleurs elle savait déjà, puisqu'elle n'avait que trois clefs sur son trousseau, celle-ci, celle de la boîte à lettres et celle de la porte d'entrée, et qu'elles étaient toutes très différentes. Elle essaya encore et rien, impossible de la faire tourner dans le barillet. Elle sentit la fureur monter dans son corps comme un coup de chaleur. Il suffisait qu'elle s'absente vingt heures de chez elle pour que l'intrus brise ou manipule la porte, de sorte qu'elle n'arrive plus à l'ouvrir. Même sa propre maison l'expulsait. Même dans son foyer on conspirait contre elle. Elle posa son doigt sur la sonnette et l'y laissa appuyé, prête à crever les tympans du gigolo. Elle entendit un bruit de pas, puis celui de la serrure. Adam apparut torse nu sur le seuil, dans son bas de pyjama bleu et les pieds nus. Il sourit, charmant, en montrant le porte-clés qui pendait à son doigt.

– Désolé ! Je l'ai laissé dedans hier soir. C'est pour ça que tu pouvais pas ouvrir. Je dormais. Quelle heure il est ?

On aurait dit une phrase innocente, mais Soledad se décomposa. Toute l'anxiété vécue dans la journée explosa d'un coup. Elle perdit les pédales et eut une sorte d'attaque de fureur.

– Et tu dis que tu vis seul ? Tu dis que tu vis seul ? Tu mens ! Quelqu'un qui vit seul ne laisse jamais la clef dans la serrure la nuit ! Tu viens de te trahir !

Adam la regardait abasourdi, véritablement stupéfait. Sa boucha alla jusqu'à s'ouvrir, dans la plus pure représentation de l'incompréhension.

– Quoi ? Mais c'est quoi ce que tu dis ? C'est quoi cette histoire de clef ? bredouilla-t-il.

– Jamais ! Jamais, tu m'entends, jamais une personne qui vit seule ne laisse sa clef dans la serrure, parce que si elle fait une chute ou un infarctus pendant la nuit, on ne peut pas entrer pour la sauver ! hurla Soledad comme une possédée. C'est pour ça que je suis sûre que tu vis avec quelqu'un !

Stupéfait, le Russe referma la porte, qui était encore ouverte, et, tournant les talons, se dirigea vers la chambre sans dire un mot. Soledad le suivit et le prit par le bras.

– Je ne te permets pas de me tourner le dos sans rien dire !

Adam se retourna et la regarda. Effrayé.

– Tu es folle. Tu es cinglée. Je te comprends pas. J'ai oublié la clef dans la porte et c'est tout. Ça m'arrive. Je pense pas aux infarctus, moi.

Évidemment. Bien sûr que non. À trente-deux ans. Comment allait-il penser à la mort ? Adam vivait encore dans le territoire de l'éternité. Soledad eut l'impression qu'un seau d'eau glacée tombait sur elle, la ramenant brusquement à la raison. Non, elle n'était pas folle. La folle, c'était Dolores. Elle était seule, vieille et désespérée. Elle se couvrit le visage avec ses mains, remplie de honte.

– Pardon. Pardon. Pardon.

Elle entrouvrit les doigts et regarda le gigolo. Il avait l'air assez méfiant.

– Pardon. C'est qu'il vient de se passer quelque chose de très... inquiétant et désagréable en rapport avec mon travail et je crois que je t'ai fait payer les pots cassés.

– Ah. Bon. C'est pas grave. Je comprends. Je m'habille et je m'en vais. Merci de m'avoir laissé la maison – ses paroles semblaient aimables, mais son attitude était sèche.

– Non, ne t'en va pas. Reste jusqu'à demain. C'était l'idée, non ? Jusqu'à ce qu'on répare ta chaudière.

– Non, t'inquiète pas. Il vaut mieux que je parte. Je veux pas te casser encore plus les pieds.

– Tu ne me casses pas les pieds ! Pour de vrai, reste. Reste et je t'engage. Je te paie une session, implora-t-elle.

Et elle se détesta d'avoir dit ça, elle se détesta de ce ton nécessiteux et quémandeur. Elle se détesta de s'humilier à ce point.

Adam la regarda d'un air indéchiffrable pendant quelques secondes embarrassantes. Puis il secoua la tête.

– Bon. D'accord. Très bien. Mais de toute façon maintenant je dois sortir pendant quelques heures, parce que j'ai du travail. Si tu veux, je reviens après.

– Un travail d'escort ? dit-elle, un peu tremblante.

– Non, non. Hier mon ancien chef, l'Étincelle, m'a rappelé. On est pas restés en trop bons termes mais maintenant ce connard a besoin de moi, ah, expliqua Adam avec une moue de satisfaction. On change le système électrique d'un entrepôt à Vicálvaro. Un endroit énorme. Un entrepôt des Chinois. Ils ont de tout. Le hangar appartient à un ami de mon chef et il est assez vieux, et l'autre jour il y a eu un incendie dans le câblage. L'Étincelle a appelé tous les électriciens qu'il connaît pour qu'on répare ça au plus vite, parce que le Chinois est un mafieux. L'ami de mon chef a peur et c'est pour ça qu'on se grouille. Cet endroit est hallucinant, il y a des poupées et des ballons et des montres et des chaussures de sport et des tas de cochonneries, des étagères et des étagères entières de trucs horribles. J'ai déjà travaillé là-bas hier et je suis rentré très tard. L'Étincelle a organisé des roulements. Et une prime pour le travail urgent. Tu vois, il l'a eu dans l'os et il a été obligé de me demander de l'aide. Et de bien me payer. Aujourd'hui je commence à trois heures, mais si tu veux je reviens après.

L'histoire de son petit triomphe sur son ancien chef semblait avoir rendu au Russe sa bonne humeur : il ne restait plus trace de sa méfiance d'avant. Soledad soupira. Bien sûr qu'elle voulait qu'il vienne. Devait-elle le lui demander encore une fois ?

– Oui, bien sûr. Viens, s'il te plaît. Je t'attends.

Adam partit donc pour Vicálvaro et, pendant ce temps-là, Soledad alla à la pâtisserie de la calle Serrano acheter quelque chose de bon à grignoter. Puis, comme toujours, elle se doucha, se lava les cheveux, s'épila les jambes, se rasa le pubis, se mit de la crème hydratante, passa une demi-heure à réfléchir à comment s'habiller, se maquilla avec soin. Elle descendit ensuite à la banque et retira l'argent du tarif de l'escort. Puis elle essaya de travailler, avec de maigres résultats, jusqu'au retour du Russe. Adam rentra à 11 h 30 du soir. Ils dînèrent, elle lui expliqua pour le reportage de Marita et la modification du titre de l'exposition, et il ne sembla pas saisir grand-chose aux causes de son angoisse ; Adam, quant à lui, se remit à lui raconter avec une fascination prolixe comment était l'entrepôt chinois, et Soledad s'ennuya beaucoup. Après avoir débarrassé la table, elle le paya et il rangea avec naturel l'argent dans son portefeuille miteux. Ils se couchèrent et firent l'amour avec la lumière éteinte, comme les gens mariés. La chair fut glorieuse, comme toujours. Puis ils se souhaitèrent une bonne nuit et Soledad s'endormit en pleurant.

“La chair est triste, hélas ! et j’ai lu tous les livres”, disait Mallarmé. Et il était pourtant mort à cinquante-six ans. Soledad, plus vieille que le poète, avait eu le temps de se mettre à relire et de s’attrister un peu plus que lui. Le fait est que, depuis plusieurs mois, la mélancolie s’amoncelait en elle comme un brouillard épais et froid. Peut-être était-ce la désolation d’avoir atteint soixante ans, alors qu’intérieurement elle en avait toujours seize.

Elle regarda sa montre et tordit sa bouche dans une grimace d’agacement. Elle était au bar du Círculo de Bellas Artes, en train d’attendre la journaliste Rosa Montero et l’heure était déjà passée de dix minutes. Un retard de dix minutes commençait à être grossier. Certes, c’était elle l’intéressée, c’était Soledad qui avait pris contact avec Rosa, mais tout de même. Elle devait se prendre pour quelqu’un de très important. Soledad ne la connaissait pas personnellement, mais Montero ne lui avait jamais beaucoup plu. Les romancières ne plaisaient pas beaucoup à Soledad parce qu’elles lui rappelaient qu’elle n’écrivait pas. Elle comprenait que c’était une émotion mesquine de sa part, mais elle ne pouvait pas s’en empêcher.

Ah, la voilà… C’était sûrement elle. Elle venait d’apparaître à la porte. Soledad se leva et la salua de la main pour se faire connaître. Montero sourit et s’empressa de s’approcher en slalomant entre les tables du grand salon.

– Pardon pour le retard ! Je me suis lancée dans un truc, je suis partie en retard, désolée, dit-elle, hors d’haleine, tout en retirant son manteau.

Au moins elle n'a pas rejeté la faute sur la circulation, pensa Soledad.

– Ne t'inquiète pas, ce n'est rien. Merci d'être venue.

La journaliste s'assit avec une maladresse empressée et occupa tout en un instant : son manteau, son sac et son écharpe éparpillés de tous les côtés, son portable, les oreillettes et un petit tas de livres déversés sur la table. Son arrivée fut comme un raz-de-marée. Soledad, toujours si organisée et méticuleuse, eut un mouvement de recul. Elle se sentait envahie.

– Un thé au lait, s'il vous plaît, demanda Montero au serveur qui venait de se matérialiser à ses côtés. Et un verre d'eau. Et… s'il vous plaît… – elle éleva la voix alors que l'homme partait déjà – … vous auriez un petit gâteau ou quelque chose comme ça ? Quelque chose de sucré et petit ?

Par pitié, ne pouvait-elle pas tout commander en même temps ? Quel chaos, cette femme. Soledad l'analysa avec des yeux durs et subreptices : elle portait des bottes Dr. Martens avec des roses brodées ! Et des vêtements de chez Zara ou pire encore, des vêtements d'une de ces mauvaises chaînes de magasins pour adolescentes. Pour l'amour du ciel, croyait-elle qu'en se déguisant comme ça elle allait tromper le temps ? Rosa et elle devaient avoir plus ou moins le même âge ! Elle n'était pas une jeunette, quand bien même elle voulait s'habiller comme si elle en était une.

– Merci beaucoup d'être venue. Comme je te l'ai dit dans mon mail, je prépare une exposition sur les écrivains maudits pour la Bibliothèque nationale et Josefina Aznárez est la figure centrale. Je garde encore la coupure de presse de ce portrait biographique que tu avais écrit sur elle il y a quinze ans. C'était très bien. Dans le texte, tu disais avoir trouvé des descendants à elle…

– Oui, une arrière-petite-nièce. Autrement dit, le frère de son père avait un fils et celui-ci a eu un autre fils et une petite-fille. Je crois que c'est sa seule famille. Quand j'ai fait ce profil, je connaissais son existence mais je n'avais pas pu la localiser…

– Ah, quel dommage. J'avais justement très envie de prendre contact avec sa famille pour essayer de savoir avec certitude ce qui était arrivé à Josefina… Dans ton article, ce n'était pas très clair…

– Oui, bien sûr, tu sais qu'il y a eu des informations contradictoires. Tu n'avais rien trouvé non plus quand tu as fait cette expo, non ?

– Oui, enfin, ce que l'on savait, c'était que le *North Star* avait été touché par l'explosion, que Josefina avait été blessée, qu'on l'avait transportée à l'hôpital et qu'en lui retirant ses habits de Luis Freeman on avait découvert que c'était une femme… Le scandale avait éclaté quelques jours plus tard et les journaux avaient raconté l'histoire d'Aznárez et de sa double vie en tant qu'homme et tout ça, mais comme à ce moment-là elle était encore à l'hôpital, je ne sais pas si elle est morte ou ce qu'elle est devenue. En tout cas, je n'ai pas réussi à trouver d'autres références, dit Soledad.

– Moi non plus, je n'avais rien obtenu à l'époque. Avec toute la tragédie du *Cabo Machichaco*, les journaux étaient très occupés. Ils ont raconté la partie la plus sensationnaliste de l'affaire Aznárez, puis l'histoire a disparu.

Réchauffée, Rosa Montero avait remonté les manches de son pull, laissant voir un tas d'oiseaux tatoués sur un bras et une salamandre sur l'autre. Et en plus, elle était tatouée ! Soledad dut retenir un soupir moqueur. Et, pourtant, cette femme avait le culot d'écrire des romans. Du vrai n'importe quoi.

– Mais, tu sais, après que j'ai publié ce profil, sa nièce m'a envoyé une lettre et elle m'a raconté ce qui était arrivé à sa tante. Je l'ai inclus dans la réédition de mon livre de biographies, *Histoires de femmes*, expliqua Montero qui avala ensuite un biscuit sablé d'une seule bouchée. Je n'ai rien mangé à midi, ajouta-t-elle en guise d'excuse.

– Désolée, je ne l'ai pas lu…

– Aucune importance. Je t'ai apporté un exemplaire de poche. Eh bien, l'histoire est épouvantable : Josefina a guéri de ses blessures, mais on l'a placée dans le service des aliénés de l'Hôpital général. Et elle y est restée jusqu'à la fin du siècle, moment où elle a été transférée à l'asile de Valladolid, qui venait d'être créé. Elle n'en est jamais sortie. Elle y est morte en 1933. Elle a passé quarante ans enfermée, de ses trente-sept à ses soixante-dix-huit ans. Dans ces asiles. La pauvre.

Soledad fut épouvantée. Pauvre Josefina, oui. Pauvre Dolores. Cependant les asiles de maintenant étaient mieux. N'est-ce pas ?

– Quelle horreur… murmura-t-elle.

– Oui, l'horreur, l'horreur, comme dirait Kurtz dans *Le Cœur des ténèbres*, soupira Montero. Pauvre Josefina. C'est une vie si tragique, n'est-ce pas ? Si émouvante. D'abord, être écrivain et ne pas pouvoir publier parce que tu vis dans un monde tellement machiste. Mais en plus, la pauvre, comme tant d'autres femmes de son époque, elle a consacré sa jeunesse à s'occuper de ses parents et elle s'est donc retrouvée en dehors de l'existence, mise de côté, réduite à néant… Sans connaître l'amour de toute sa vie. C'est terrible, non ?

Soledad commençait à se sentir mal. Un goût de cendres et de rouille dans la bouche. Elle acquiesça de la tête, incapable de parler.

– J'imagine ça très bien, je crois que je la comprends très bien, ce devait être une femme pleine de passion, je me l'imagine inondée, submergée par son terrible besoin d'aimer… Je crois qu'elle a inventé Luis Freeman non pas pour pouvoir publier ses romans, même si pour cette raison aussi, mais surtout pour pouvoir vivre son rêve d'amour, ajouta la journaliste avec une véhémence éclatante.

– Oui… Mmmmmh… Est-ce qu'elle s'est remise à écrire pendant qu'elle était internée ? s'efforça de demander Soledad pour changer de sujet.

– Sa nièce m'a dit qu'elle avait apparemment tenu une sorte de journal, mais bon, très peu de choses, je crois. Rien. Quarante années enterrée vivante.

Soledad regarda Rosa avec aversion.

– J'ai lu que… que ton mari était mort récemment, c'est bien ça ?

Le visage de l'écrivain se durcit légèrement. Elle ne semblait pas apprécier d'en parler.

– Oui.

– Pardon. Je suis vraiment désolée. Je peux te demander combien de temps vous êtes restés ensemble ?

Montero la regarda avec une curiosité méfiante.

– Vingt et un ans.

Soledad sentit que le sang commençait à bouillir dans ses veines.

– Alors comment peux-tu dire que tu la comprends ? Comment sais-tu ce que ressent une femme qui n'a jamais connu l'amour ?

Rosa sourit :

– Eh bien, parce que dans mes biographies je fais la même chose qu'avec les personnages de mes romans. Tu te mets dedans, tu sais. Tu vis à l'intérieur de ces vies. Nous avons tous en nous toutes les possibilités de l'être humain, c'est ce que le Romain Térence disait : "Rien de ce qui est humain ne m'est étranger." Tu t'imagines alors à l'intérieur de cette autre existence, tu te laisses porter par elle, tu laisses le personnage te raconter son histoire, t'envelopper dedans… C'est comme surfer, tu sais. Comme grimper sur le dos d'une vague puissante et éclaboussée d'écume et la laisser t'emporter et te conduire jusqu'à la plage, pérora pseudo-poétiquement la romancière.

– Tu fais du surf ?

– Non !

– Mais alors comment peux-tu savoir pour la vague et l'écume et tout ça ? se désespéra Soledad, incapable de contenir son irritation.

Montero éclata de rire avec une joie sincère et ses yeux pétillèrent :

– Ça aussi, je l'imagine.

Mardi 27 janvier

Profitant qu'Adam était sorti, ce matin j'ai pénétré dans son immeuble avec une fausse identification qui m'accrédite comme agent du recensement. Le bâtiment est très grand, avec un nombre élevé de logements. J'ai commencé par l'étage supérieur et j'ai descendu les niveaux. Beaucoup d'habitants n'étaient pas chez eux, mais je n'ai pas perdu espoir car je ne l'avais pas vue sortir. Quand la personne qui m'ouvrait n'était pas celle que je recherchais, j'expédiais ça vite fait : je lui demandais simplement si elle était propriétaire ou locataire et je lui annonçais l'arrivée prochaine des papiers du recensement. Ensuite, je notais son appartement pour l'exclure. Je ne voulais pas perdre de temps. Malgré tout, j'ai mis presque trente-cinq minutes pour arriver à la porte L *du deuxième étage. Bingo : la métisse a ouvert. Comme je l'avais imaginé, elle a son propre appartement. De près, elle a l'air encore plus jeune. Je lui ai expliqué pour le recensement, je l'ai interrogée avec habileté et elle m'a tout raconté : elle est naïve et crédule. Elle a vingt et un ans, elle est brésilienne, elle est née à Bahia ; elle s'appelle Jerusalém, et son fils, qui vient d'avoir trois ans, Rubem. Elle dit travailler comme femme de ménage, mais elle n'a pas l'air d'une femme de ménage. Ses papiers sont en règle et elle me les a montrés toute fière. Je lui ai raconté que je n'arrivais pas à trouver certains de ses voisins ; que, par exemple, je n'avais pas réussi à parler avec Adam Gelman, celui qui vivait au 1er* F*, le connaissait-elle ? Oui, je le connais, je le connais, cette cruche a aussitôt mordu à l'hameçon, et elle a eu des yeux attendris. Il vit seul, a-t-elle* *dit, puis elle s'est mise à rire, enfin, il vit seul pour le moment, a-t-elle ajouté avec un visage malicieux. Alors j'ai décidé de tenter le coup et je lui ai raconté mes malheurs, tous inventés : que j'avais un besoin pressant de ce travail, que j'étais à deux doigts de l'expulsion, que mon mariage venait de se briser. Compatissante, Jerusalém m'a ouvert son cœur et m'a offert deux ou trois conseils puérils. Ensuite, d'une voix chantante qui bousculait la syntaxe, elle a raconté son histoire. Elle est entrée en Espagne par Barcelone, amenée par une mafia, et elle a travaillé au bar d'un club américain : mais pas sexe, pas sexe, a-t-elle répété avec énergie. Mais c'est là-bas qu'elle a eu Rubem avec, je répète ses paroles, "l'homme qu'il fallait pas". Ce n'était pas une mafia très méchante, alors, quand elle a fini de leur payer le voyage et les papiers, elle les a laissés tomber et elle est venue à Madrid. Mais, même si ce n'est pas une mafia très méchante, elle s'est enfuie, alors elle a assez peur. Ici, elle a rencontré A. Dès le début il voulait avec elle, mais elle avec lui non. Elle était effrayée, elle avait peur pour son fils, elle ne faisait pas confiance aux hommes. Elle ne me l'a pas raconté, mais elle a dû avoir une vie assez dure. Avec le temps, cependant, elle s'est aperçue que A. est un homme bon, très bon. Il veut donner son nom à Rubem, même si ce n'est pas son fils. Et il a été patient et tendre. Il a supporté ses manques de confiance et ses doutes, qui faisaient que tout à coup elle prenait peur et ne voulait plus le voir, comme ça s'est passé en début d'année. Mais maintenant, m'a dit la métisse très sérieusement, elle était décidée. A. avait un business très important entre les mains, et dès qu'il aurait réussi à prendre tout l'argent, ils partiraient tous les trois au Brésil. Et c'était quoi comme business ? Elle, Jerusalém, elle n'en savait rien. Mais c'était un gros truc. Avec cet argent, ils iraient tous les trois à Bahia et elle ouvrirait un cabinet d'esthéticienne à la maison, elle ferait la cire et les soins du visage, manucure et massages. Pas plus tard qu'hier, le Russe lui avait de nouveau demandé de l'épouser, et cette fois Jerusalém avait dit oui.*

Nuit noire de l'âme. Dans la pénombre, Soledad regardait Adam dormir, son bras aux muscles longs, son épaule arrondie et nue, sa main magnifique qui reposait dans un calme détendu sur l'édredon. Il ne faisait pas le moindre bruit : il avait la placidité d'un enfant. Elle, au contraire, elle était assaillie par les démons insomniaques de l'obscurité, qui l'aiguillonnaient de mille pensées ténébreuses.

Elle était en train de le perdre.

Elle était en train de perdre Adam, elle le savait avec la certitude de la peau, de la chair, de chacune de ses cellules. Et si elle était maintenant en train de le perdre, c'est parce qu'il y avait eu un temps où elle l'avait eu à elle. Même si c'était un gigolo, même si elle le payait, même s'il se prostituait, Soledad savait qu'il y avait eu un moment où le Russe s'était senti attiré par elle. Il avait eu besoin d'elle, il l'avait recherchée, il s'était donné tout entier en faisant l'amour. Mais cette fissure émotionnelle s'était ensuite refermée et il lui faisait maintenant l'effet d'un étranger. Qu'est-ce qui était le pire, que l'on ne vous ait jamais aimé ou bien que l'on ne vous aime plus ? Soledad grinça des dents pour ne pas crier. La deuxième situation était bien pire, bien plus douloureuse et insupportable. Soledad pouvait imaginer ce que le Russe devait se dire : ah, mince, pendant un moment j'ai cru que cette femme me plaisait, mais je comprends maintenant que je me suis trompé, qu'est-ce que j'ai bien pu lui trouver ? C'est juste une vieille, une cliente barbante comme les autres, une déception, un ennui.

Échouer en amour déclenchait l'apocalypse. Les ruptures sentimentales ne se contentaient pas de vous faire exploser le cœur : leur onde expansive devait atteindre jusqu'au fondement même de votre personnalité, car elles détruisaient aussi votre monde. Alcina, la Magicienne, hurlait de douleur dans l'opéra de Haendel lorsqu'elle perdait l'amour de Ruggero. Même sa magie séductrice de puissante sorcière ne durait pas pour toujours ; le chevalier posait ses yeux sur une autre et il ne restait plus à Alcina qu'à crier et à pleurer, car, lorsque le désamour venait, la vie n'avait plus de sens. Obscurité et souffrance, et un vide intérieur qui dévorait comme une brûlure.

C'était comme si, en perdant l'illusion embellissante de la passion, l'angoissante réalité se retrouvait mise à nue. Les coulisses crasseuses derrière le décor. Parfois, Soledad se demandait si la violence de ses amours n'était pas exacerbée par son passé, par cette enfance écœurante qui lui avait appris à penser que l'existence était insupportable. Elle gardait peu de photos de son enfance et toutes la démolissaient. C'étaient des clichés apparemment joyeux, et c'était là le pire. Des portraits de Dolores et d'elle à sept ou huit ans, avec des rubans en satin dans les cheveux, souriantes comme si elles étaient des petites filles normales. Mais sur les bords de la photographie, dans tout ce qui restait hors-champ et ne se laissait pas voir, les ténèbres s'agglutinaient. Ces fillettes si souriantes se mettaient désormais toutes seules dans l'armoire, elles s'enfermaient pendant des heures au milieu des vieux manteaux afin de fuir leur mère. Ce fut ça, l'enfance. Puis l'existence avait passé si vite... Soledad venait d'avoir soixante ans et elle se demandait à quoi elle les avait passés. Elle avait atteint l'âge où sa biographie était irréversible. Elle ne pouvait plus être autrement, elle ne pouvait plus faire autre chose de sa vie. Ah, si elle avait su qu'elle allait devenir vieille et qu'elle allait mourir, elle aurait vécu autrement. Mais avant, elle l'ignorait. C'est-à-dire qu'elle ne l'avait jamais su de cette manière véritable et irrémédiable. Et maintenant c'était trop tard.

La vie était un paquet-cadeau entre les mains d'un enfant, enveloppé de papiers aux couleurs brillantes. Mais, lorsqu'on l'ouvrait, il n'y avait rien à l'intérieur. La joie était si courte, la peine si longue. Parfois, comme lors de ces nuits inquiètes et torturantes, Soledad croyait pouvoir voir tous les êtres humains qu'il y avait eus dans le monde avant elle, tous ces individus qui surgissaient et se flétrissaient comme de modestes et poussiéreuses feuilles d'arbre. Une longue colonne de gens fous de vivre qui était engloutie à toute allure par la sombre Parque. "Il est difficile de croire que le destin d'un homme soit si bas qu'il le fasse naître juste pour mourir", avait écrit Mary Shelley, qui connaissait bien la gloutonnerie de la mort, car celle-ci avait précocement dévoré sa mère, puis elle avait avalé trois de ses enfants et son cher Percy, et pour finir elle l'avait grignotée elle aussi à cinquante-trois ans avec une tumeur au cerveau. Très peu de lumière et trop d'ombre. "Chacun est seul sur le cœur de la Terre / traversé par un rayon de soleil / et, soudain, la nuit tombe", avait écrit Salvatore Quasimodo, disparu depuis longtemps. Quelques-uns tentaient quand même d'être encourageants : "Après tout, la mort n'est qu'un symptôme qu'il y a eu de la vie", avait dit Mario Benedetti, par ailleurs tout à fait mort lui aussi, car, vous aviez beau y mettre beaucoup de vitalité, il n'y avait pas moyen d'esquiver la Parque.

Soledad se souvenait à présent de cette histoire qu'on lui avait racontée des années auparavant à propos d'un enfant du Pérou qui avait un boa comme animal domestique. Le garçon avait lui-même couvé l'œuf, il avait vu le serpent sortir de sa coquille et avait pour celui-ci une estime compréhensible. Le jeune reptile dormait avec l'enfant dans son lit, profitant de sa chaleur. Mais, bizarrement, chaque soir avant de s'enrouler, le boa s'étirait de tout son long et restait très immobile et très raide pendant quelques secondes à côté du garçon. Personne ne savait pourquoi il faisait cela, jusqu'au jour où un zoologue vint à passer par-là : "Le boa te mesure, dit-il à l'enfant. Quand il sera plus grand que toi, il te mangera." La mort était pareille, pensait Soledad. Elle s'enroulait dans notre lit à côté de nous, mais chaque soir elle nous mesurait pour voir quand elle pourrait nous avaler. Peut-être était-ce à cause de cela qu'elle avait tant de mal à dormir.

Peut-être l'écriture était-elle un sédatif contre l'obscurité, pensa-t-elle. Vous pouviez au moins attraper vos pensées, vos connaissances, vos sentiments ; vous pouviez les fixer sur un papier, comme on jette une bouteille dans la mer du temps. Mais elle n'était pas bien sûre que cela fonctionne et, qui plus est, Soledad était incapable d'y recourir. La seule chose qui pouvait donc lui servir à oublier la Parque, et le gâchis de cette vie mesquine, c'était l'amour. L'amour charnel, la fièvre de la peau, cette animalité qui nous sauvait de n'être que des humains. Et l'amour spirituel, toute cette tendresse qu'elle avait à donner, un lac de lumière dans ses entrailles dont elle sentait qu'elle n'avait encore pu l'offrir à personne. Quel dommage de mourir sans que nul n'ait accepté ce cadeau.

Sous le store, pas tout à fait baissé, une ligne de clarté sale commençait à stagner. Le jour se levait. Soledad regarda une nouvelle fois Adam : son profil délicat, ses lèvres délicieuses. Elle se souvenait très bien du goût de ces lèvres. De leur texture. De l'ivoire de ses dents qui cachaient sa langue savoureuse. Elle se pencha sur son corps endormi et respira son arôme. De terre, de bois. L'idée de le perdre se mit à lui faire mal dans l'estomac comme un cri qui serait resté à l'intérieur d'elle, comme le hurlement désespéré d'Alcina, une complainte en forme de couteau qui lui déchirait les tripes. Sans amour, tout était poussière et larmes et une vie qui ne valait pas la peine d'être vécue. Elle comprit que certains aient préféré mourir, comme Marga Roësset la suicidaire, l'amoureuse désespérée de Juan Ramón Jímenez. Elle comprit même que d'autres aient tué, comme Bombal ou Geel.

Soledad n'avait jamais vu Adam aussi heureux. Il irradiait de lumière et semblait encore plus jeune qu'il n'était.

– On va demander une autre bouteille ! Te gêne pas. On va casser la baraque, s'exclama-t-il allègrement tout en retournant la bouteille de Guitian vide dans le seau à glace.

Ce soir, il parlait particulièrement mal l'espagnol : c'était peut-être l'alcool. Ou l'enthousiasme.

Toute cette joie et cette amabilité la rendaient très nerveuse. En arrivant chez elle, le Russe lui avait dit qu'il pensait non seulement lui offrir ses services cette nuit-là, mais, en plus, qu'il voulait l'inviter à dîner. Et qu'il avait réservé au Café de Oriente, parce que c'était l'endroit où ils s'étaient rencontrés.

Et ils en étaient là, Adam en train de dévorer avec une faim de louveteau et elle d'éparpiller les miettes de sa sole sur les bords de son assiette pour donner l'impression d'avoir mangé davantage. Elle avait l'estomac noué et une intuition aiguë de danger imminent.

– Pourquoi es-tu si content ?

Adam la regarda d'un air surpris et se mit à rire.

– Alors ça, je savais pas qu'il faut que j'explique la joie. Je sais pas. Il a fait une journée splendide. On dirait que le printemps vient. Et j'aime pouvoir t'inviter. Tu as été très bonne avec moi.

Soledad se sentit encore plus alarmée.

– Merci… au fait, tu ne m'as pas rendu les clefs de chez moi.

– C'est vrai. J'oublie toujours. Je te les laisserai demain dans la boîte à lettres.

Ils mangèrent un instant en silence.

– Tu as parlé de moi à tes amis ? demanda l'escort.

– Comment ?

– Oui, ce que je t'avais dit… Que tu me présentes à quelqu'un dans tes amis importants… Que tu me cherches du travail…

Ah, c'était donc ça, se dit Soledad : il était en train de la flatter pour voir si elle le recommandait. Elle trouva la situation un peu désagréable, mais d'un autre côté il était rassurant de commencer à comprendre ce qui se passait.

– Ah, non, pas encore, désolée. J'ai été très prise par l'exposition et… Mais j'ai réfléchi à ce que tu veux et ce n'est pas facile non plus, tu sais. Je ne vois pas trop avec qui je pourrais parler.

Le visage du Russe resta tout aussi détendu et dégagé, un paysage sans nuages.

– Bah, c'est pas grave, dit-il avec une parfaite placidité. En plus, maintenant ça roule pour moi. Avec ce travail que j'ai fait des Chinois. On m'a bien payé.

Soledad recommença à s'inquiéter. Elle s'agita sur son siège.

– Et toi aussi, tu m'as assez bien payé tous ces mois, ajouta le Russe avec un clin d'œil et un sourire complice. Merci.

Il ne manquait plus que ça, quelle honte, pensa-t-elle en s'apercevant que ses joues s'échauffaient. Pour Adam, cela semblait tout à fait normal, mais Soledad vivait très mal l'aspect économique de leur relation. Elle se sentait humiliée, à croire que c'était elle la prostituée au lieu de lui.

– Un électricien que j'ai rencontré dans le travail des Chinois, un Espagnol, un type cool, m'a raconté que, quand les Gitans vont à un mariage, ils disent pas : tous nos vœux de bonheur. Tu sais ça ? dit Adam.

– Quoi donc ?

– Le truc des Gitans.

– Je ne sais pas, je ne crois pas… dit-elle, déconcertée.

– Eh bien, ils disent pas : tous nos vœux de bonheur, comme on dit tous. Ils te souhaitent pas d'être heureux. Ce qu'ils disent, c'est : de mauvais débuts. Parce qu'ils savent que la vie a toujours une part de douleur, et donc ils te souhaitent que la douleur vienne au début, pour qu'après il te reste que du bonheur. C'est bien, non ?

– Oui… je ne savais pas.

Adam demeura songeur un instant tout en malaxant une miette de pain.

– Moi je crois que c'est mon tour, non ? J'ai déjà vécu les mauvais débuts… J'ai vécu des mauvais débuts pour plusieurs vies, rit-il.

Sans dessert ni café, l'addition s'éleva à cent soixante-douze euros. Adam plongea la main dans son sac à dos, celui qu'il avait l'habitude d'apporter lorsqu'il restait dormir chez elle. Il en sortit un sac en toile de ceux qu'on utilise pour ranger les chaussures et le déposa sur la table. Il avait l'air lourd et rendit un bruit métallique.

– Avec le pourboire, cent quatre-vingts, dit Adam en souriant.

Puis, ouvrant le sac, il commença à sortir des pièces d'un euro et à les compter, en les empilant en petites colonnes.

– Tout ça c'est de la monnaie ? demanda Soledad, abasourdie. Tu as dévalisé la machine à sous d'un bar ?

Adam éclata de rire comme un enfant, il eut un fou rire qui le porta au bord des larmes.

– Noooon… c'est cet imbécile d'Étincelle qui m'a payé une partie de l'argent comme ça, en euros, tu peux le croire ? dit-il enfin en séchant ses yeux.

Il avait rempli la table de piles de monnaie, dix-huit colonnes de dix euros chacune. Le serveur, hallucinant, s'en alla et revint avec un petit saladier afin de pouvoir y mettre l'argent. Il le compta à mesure qu'il le jetait dedans.

– Et cent quatre-vingts. Merci. Ça pèse lourd, dit le garçon.

Soledad prit le plat entre ses mains. Oui, c'était lourd, très lourd. Adam était toujours plié de rire. Il la prit dans ses bras lorsqu'ils se levèrent et l'embrassa sur la bouche, ce qui énerva assez Soledad, parce qu'on la connaissait dans ce restaurant. Elle s'arracha de la poitrine du Russe avec une certaine violence.

– Rentrons à la maison.

Ils étaient tous les deux un peu pompettes et la nuit était bizarre. Ils arrivèrent chez Soledad et, à peine rentré, Adam demanda un whisky.

– Tu ne crois pas que nous avons assez bu ?

– Aujourd'hui est un jour spécial, répondit le Russe en souriant.

Spécial pourquoi ? Parce qu'il va me quitter ?

– Sers-toi toi-même. Tu sais où c'est, dit-elle.

Pendant qu'Adam farfouillait dans la cuisine, Soledad mit un peu de musique. Elle choisit la *Chaconne* de Bach, dans la version pour piano de Busoni, interprétée par Rhodes. Elle entendit le Russe aller dans la salle de bain, le verre tintant dans sa main comme un hochet. La *Chaconne* commença à égrener ses notes grandioses. Bach avait vu mourir ses onze enfants, puis décéder sa femme, qu'il adorait. Il avait écrit ce morceau bouleversant lorsqu'il était devenu veuf, en souvenir de son épouse. Amour et mort.

– C'est quoi, ça ?

Le ton d'Adam, grave et tranchant, fit sursauter Soledad. Elle se retourna. L'escort était à la porte du salon, montrant au bout de son bras tendu un enchevêtrement de tissu. Son cœur fit un bond dans sa poitrine.

– Pourquoi est-ce que tu fouilles dans mes placards ?

– Moi pas fouiller. Chercher aspirine. Pour demain pas de gueule de bois – la tension le faisait s'exprimer à la façon d'un télégramme.

Soledad s'approcha et lui prit la chemise des mains. La vieille chemise d'Adam, celle qu'il portait la nuit où ils s'étaient rencontrés, encore tachée du sang séché du commerçant. Elle tressaillit.

– Je ne sais pas. Je ne me rappelais plus qu'elle était là. Je l'ai mise de côté pour la jeter puis j'ai oublié.

– C'est pas vrai. Elle était bien pliée et rangée. Elle était cachée sous des serviettes. Pourquoi ?

Soledad haussa les épaules. C'était délirant, elle le savait, mais cette chemise avait l'odeur d'Adam. Elle n'avait pas été capable de s'en débarrasser.

– Je te dis que j'avais oublié qu'elle était là. Allez, je la jette immédiatement et n'en parlons plus.

Elle alla jusqu'à la cuisine, appuya sur la pédale de la poubelle et y jeta la chemise. Ça l'attrista. Elle se retourna, irritée, et fit face au Russe qui l'avait suivie. L'alcool n'était pas bon conseiller, pensa Soledad ; ils étaient en train de faire toute une montagne de cette broutille.

– Voilà.

Le garçon la regardait d'un air soucieux.

– Tu es cinglée, murmura-t-il.

Et il disait cela très sérieusement.

Alors quelque chose se brisa à l'intérieur de Soledad, les vannes de la colère et de la frustration cédèrent et elle fut tout entière inondée d'une fureur brumeuse et imparable.

– Et toi tu es un menteur, tu es un foutu menteur, tu es un profiteur et un menteur ! Tu as une fiancée et tu me mens quand tu dis que non, et tu vas partir avec elle et tu veux me soutirer de l'argent pour t'en aller !

– Mais qu'est-ce que tu dis ? De quoi tu parles ? C'est faux. Qui t'a dit ça ? demanda-t-il, abasourdi.

– Personne ne me l'a dit ! Je le sais ! Je t'ai vu ! Je t'ai suivi depuis des mois ! Je sais tout de toi, menteur ! J'ai parlé avec Jerusalém ! Je sais que tu veux te marier avec elle ! Je sais que vous partirez au Brésil dès que tu auras l'argent pour t'en aller ! Mais je ne te donnerai pas un euro de plus, tu m'entends ? Pas un euro !

Adam la regarda épouvanté, bouche ouverte. Un silence dur et crissant comme de la glace tomba sur eux. Jusqu'à ce que le Russe retrouve d'un coup sa mobilité, sorte en courant de la cuisine et s'en aille de chez elle en claquant la porte.

Lorsque c'était arrivé, Soledad avait dix-huit ans et les deux dernières années, depuis l'internement de sa sœur, avaient été un cauchemar. Elle s'était non seulement retrouvée sans sa moitié, sa jumelle, sa seule amie et son ancrage affectif face à l'ouragan de la vie, mais elle était, en plus, terrorisée à l'idée de perdre elle aussi la raison. Sans parler de l'angoisse que provoquait en elle le traitement brutal qui était appliqué à Dolores, les électrochocs, la surmédication qui la maintenait dans un état presque végétatif. Soledad avait d'abord cru que tout cela était nécessaire, que la terrible maladie de sa sœur exigeait des remèdes terribles. Mais elle s'était ensuite mise à faire des recherches de son côté sur la question des troubles mentaux, elle avait lu des textes de Cooper, de Laing et de Basaglia, et elle était devenue une défenseuse acharnée de l'antipsychiatrie, très à la mode en ce temps-là ; et l'horreur de penser que sa sœur était torturée et détruite en tant que personne par la faute des médecins et de l'injonction maternelle l'empêchait de vivre. Malheureusement pour elle, à l'époque, la majorité était encore à vingt et un ans. Elle ne pouvait rien faire pour Dolores, et c'était à peine si elle pouvait s'aider elle-même. Lorsqu'elle termina le lycée, elle trouva un travail de réceptionniste dans un bureau d'avocats et avec son salaire s'inscrivit à l'université, en philosophie et lettres. Elle voulait se spécialiser en histoire de l'art, mais il fallait d'abord faire deux années de tronc commun. Les cours du soir étaient déprimants ; tous les élèves étaient plus âgés qu'elle, la plupart étaient des femmes, plusieurs d'entre elles des religieuses, et les rares hommes inscrits étaient soit des prêtres, soit des messieurs chétifs à la calvitie prématurée, aux cartables de plastique noir défraîchis et aux chaussures pointues.

Sauf Pablo.

Pablo avait vingt ans déjà, parce qu'il en avait perdu deux à étudier le droit. Il avait les yeux verts, les cheveux frisés, un visage de chat, un sourire malicieux qui dessinait de délicieuses fossettes sur ses joues. Il voulait se spécialiser en psychologie et c'était lui aussi un partisan enflammé de l'antipsychiatrie. Cela aussi, ça les avait unis. Ils s'étaient liés d'amitié de façon naturelle, parce qu'ils étaient les plus jeunes de la classe ; ils devinrent amants de manière inévitable, comme poussés par le poids de la gravité, parce que c'étaient les années de l'amour libre et que le sida n'avait pas encore fait son apparition ; et parce que Soledad ne lui avait pas dit qu'elle était vierge, qu'il était le premier homme de sa vie et aussi son premier ami. Les jumeaux connaissent en général des difficultés, surtout dans leur jeunesse, pour se lier intimement avec les autres personnes.

Soledad ne fut jamais aussi heureuse dans sa vie qu'à cette époque-là. Elle connut ce qu'était la joie et crut que c'était une émotion merveilleuse qui était venue pour rester. Le paradis dura tout le premier trimestre de l'année scolaire. Le dernier jour de classe avant les vacances de Noël, Soledad demanda :

– Qu'est-ce qu'on va faire pour Noël ?

Pablo la regarda avec étonnement.

– Moi, je vais dîner dans ma famille, évidemment.

Soledad ne lui avait pas raconté qu'elle n'avait pas, elle, de famille, que son père les avait abandonnées, que sa mère était une ennemie et que sa sœur était internée dans un hôpital psychiatrique : quand vous vous sentez si différent, vous préférez oublier ce que vous êtes. Mais elle comprit parfaitement que Pablo ait une autre vie, une vie meilleure, et que Noël ne pouvait pas être à elle. Donc, très raisonnablement, elle dit :

– D'accord. Alors qu'est-ce qu'on va faire pour le réveillon ?

Le garçon grimaça, fit une drôle de tête, haussa les épaules.

– Je ne sais pas. Si ça se trouve, je vais à Barcelone avec un ami. C'est pas sûr encore. On s'appelle.

Et c'est ce que fit Soledad. L'appeler. La première fois qu'elle lui téléphona, ce fut une heure après cette conversation, dès qu'elle arriva chez elle, pour savoir s'ils se voyaient le lendemain. Non, Pablo ne pouvait pas. Il devait aller acheter des cadeaux de Noël avec sa sœur. Et ensuite il devait étudier. Et ensuite voir quelqu'un. Le lendemain, Soledad téléphona à nouveau dans la matinée. Et à l'heure du déjeuner. Et le soir. Elle ne comprenait pas pourquoi Pablo semblait subitement la fuir, alors que quarante-huit heures plus tôt il était si charmant et si amoureux. Le rejet imprévisible du garçon la fit paniquer, et, innocente et ignorante comme elle l'était de tout ce qui avait trait à l'affection, elle ne comprenait pas que son anxiété était ce qui effrayait Pablo. Au troisième jour, son ami cessa de prendre le téléphone. Quand elle l'appelait au travail, un collègue répondait et lui disait qu'il était avec un client ; quand elle téléphonait à la maison, c'était sa sœur qui répondait. On se mit ensuite à lui dire qu'il était parti en voyage, mais Soledad savait que c'était un mensonge parce qu'elle le suivait. Un jour, elle hurla à sa sœur : tu mens, tu mens, je viens de le voir entrer dans l'immeuble, je suis dans la cabine au coin de la rue. On lui raccrocha au nez. Puis elle rappela dix fois pour s'excuser, mais on ne décrochait plus. Alors elle lui écrivit une très longue lettre pour lui demander pardon et lui dire qu'elle l'aimait et qu'il fallait qu'ils parlent et qu'elle serait toute la soirée chez elle collée au téléphone à attendre sa réponse, et elle la mit personnellement dans la boîte à lettres de son immeuble. Elle resta, en effet, toute la soirée et toute la nuit à monter la garde, mais la sonnerie ne retentit pas une seule fois. Elle écrivit une deuxième lettre pour lui reprocher son comportement et dire que, si elle était si nerveuse, c'était de sa faute à lui, qu'elle ne voyait pas ce qu'elle lui avait fait pour qu'il la traite ainsi, qu'elle ne comprenait pas ce qui leur était arrivé, qu'elle voulait juste parler avec lui pour qu'il le lui explique. Elle la mit également dans la boîte, puis une troisième et une quatrième et une cinquième lettre dans lesquelles elle alternait les reproches avec les déclarations d'amour, avec le soupçon torturant qu'il était tombé amoureux d'une autre et avec les supplications les plus abjectes. Elle cessa de se rendre au bureau d'avocats et passait des heures devant la maison de Pablo et le magasin de photocopies où son ami travaillait. Un soir, une femme s'approcha d'elle et lui dit : laisse mon fils tranquille. Fais-toi aider et laisse mon fils tranquille. Le lendemain, Soledad s'arma de courage et entra dans le magasin de photocopies. Elle avait passé toute la nuit à préparer son discours et voulait juste voir sereinement Pablo et le lui dire en face : ce doit être un malentendu, quelqu'un a dû te raconter sur moi quelque chose de faux, c'est une immense erreur, il faut que nous parlions parce que je t'aime. Mais, dès qu'il la vit apparaître, son ancien ami pâlit et s'éloigna du comptoir en criant : n'approche pas, n'approche pas, tu vas me faire renvoyer, va-t'en. Son horreur évidente blessa si fortement Soledad qu'elle se mit à pleurer et ne put articuler un mot. Un homme âgé vint alors et, la saisissant par le bras, la traîna pour la faire sortir du magasin et la laissa à hoqueter au milieu du trottoir. Si tu entres encore une fois, j'appelle la police, menaça-t-il. Le soir même, alors que Soledad était postée devant la maison de Pablo, deux gendarmes vinrent et l'arrêtèrent.

Elle passa une semaine à l'Hôpital provincial et le juge prononça une injonction d'éloignement à son encontre. Elle ne pouvait plus se trouver à moins d'un kilomètre de Pablo, si bien qu'elle dut abandonner l'université cette année-là. Ce ne fut pas plus mal en vérité, car elle se sentait si déprimée et si détruite que, de toute façon, elle aurait été incapable d'étudier quoi que ce soit. Et, par ailleurs, Soledad considérait à présent qu'elle avait, malgré tout, eu beaucoup de chance. En réalité, c'est sa mère qui l'avait sauvée : ce fut la seule et unique bonne chose que celle-ci fit pour elle de toute sa vie. Sa mère était venue à l'Hôpital provincial lorsqu'elle venait juste d'y être internée et elle lui avait dit : "Tu es folle. Tu es aussi folle que ta sœur et tu finiras comme elle."

C'est ce que lui avait dit cette bête démente qu'était sa mère. Et il y avait tellement de haine dans ses paroles que Soledad s'était redressée face à sa menace. Avec moi tu n'y arriveras pas, avait-elle pensé. Avec moi, non.

Elle avait donc décidé de convaincre tout le personnel médical de l'hôpital de sa santé mentale. Je regrette le spectacle que j'ai donné, je crois que trop de choses se sont mélangées en moi, notre père nous a abandonnées, ma sœur jumelle est internée, je ne m'entends pas bien avec ma mère, je me sentais très seule et très malheureuse, Pablo a été mon premier amour et je crois que j'ai reporté sur lui des besoins démesurés, maintenant je le comprends et j'en suis vraiment désolée. Son discours était sensé et irréprochable et on la laissa sortir au bout de quelques jours, avec l'engagement de se rendre régulièrement chez le psychiatre. Personne ne sut qu'en réalité elle ne croyait pas ce qu'elle disait. Intérieurement, Soledad pensait : je suis folle et je finirai comme ma sœur. Et aussi : jamais je ne cesserai d'aimer Pablo. Et le temps démontra que les deux étaient faux : elle n'avait pas suivi les pas de Dolores et cette passion avait fini par se faner.

Malgré tout, cet incident de ses dix-huit ans fut le cratère fondateur de sa vie, la scène sur laquelle s'articula toute son existence. Si elle avait été l'une de ses maudites, ce serait la situation qu'elle aurait choisi de mettre en avant dans l'expo comme définition de son destin. "J'ai aimé jusqu'à la folie. Ce que certains appellent la folie, mais ce qui pour moi est la seule façon d'aimer", avait dit Françoise Sagan, une autre maudite. Mais Sagan s'était mariée deux fois, avait eu un fils, on dirait bien qu'elle avait connu l'amour. Elle n'avait pas dû aimer aussi follement qu'elle le disait. Elle, par contre, l'effroi de la fureur effrénée de sa passion l'accompagna chaque jour. Elle savait que son besoin d'amour n'avait pas de fin, que sa capacité d'affection était insondable et que cette carence lui causait une douleur si aigue qu'elle pouvait en perdre la raison. Comme elle l'avait perdue quand Pablo l'avait rejetée. Quelle obscurité épouvantable se rappelait Soledad de ces jours-là : les terribles ténèbres de la fin du monde. Elle comprenait qu'il y eût des personnes incapables de sortir de cet abîme. Comme Josefina Álvarez, comme Dolores. Ces pauvres femmes vibrantes de passion et enterrées vivantes. Mais elle, non. Soledad, au moins, y avait échappé. Elle n'avait pas refait de décompensation à cause d'une passion ; elle n'avait plus jamais pourchassé personne. Jusqu'à aujourd'hui.

Cette dispute dans le magasin de photocopie avait été la dernière fois qu'elle avait vu Pablo et elle n'avait plus rien su de lui durant de longues années. Sa passion s'éteignit, mais il restait en réalité le plus grand, le seul véritable amour de sa vie : jamais plus elle ne put aimer à nouveau quelqu'un comme elle l'avait aimé, lui, avec la même joie et la même espérance. Cinq ans auparavant, elle avait vu une nécrologie dans *El País* : Pablo Espinosa Ortiz, cinquante-sept ans, professeur de psychologie sociale à l'université Complutense, sa femme Petra et ses filles Carlota et Bruna, etc. C'était certainement lui. Autrement dit, il s'était marié et avait eu une descendance : la vie avait toujours été plus prodigue avec lui qu'avec elle. Certes, il était mort, ce qui était un point indiscutable en faveur de Soledad. Elle n'avait jamais pu ne serait-ce qu'envisager la possibilité d'avoir des enfants : cela appartenait au monde des gens normaux.

Néanmoins, Soledad pensait fréquemment qu'elle aurait pu, elle aussi, avoir une vie normale. À présent, longtemps après, elle comprenait bien la crainte de Pablo. C'était un brave garçon ; tout semblait indiquer qu'elle lui plaisait assez et qu'il l'aimait. Mais il avait vingt ans et avait été terrorisé par le besoin volcanique de Soledad. Si seulement elle avait été moins anxieuse ; si seulement elle avait laissé la relation croître naturellement, peut-être auraient-ils fini par se fiancer, se marier, avoir des enfants. Ah, ces mille et une autres vies possibles qui s'ouvraient comme la queue d'un paon autour de notre existence, toutes ces modifications de notre destin qui auraient pu avoir lieu en changeant rien qu'un petit détail. En fait, peut-être les choses s'étaient-elles passées ainsi dans un autre monde, peut-être avait-elle épousé Pablo dans un univers parallèle de ce multivers dans lequel nous vivons. Soledad avait lu dans un article sur la physique quantique que les électrons avaient la propriété curieuse de pouvoir se trouver dans deux endroits différents en même temps. D'où le paradoxe du chat de Schrödinger, une expérience imaginaire qui consiste à supposer que l'on place un chat dans une boîte avec une bouteille de gaz empoisonné qui a cinquante pour cent de chances de s'ouvrir ; selon la théorie quantique, tant que le chat se trouve dans la boîte et que nous ne le voyons pas, il est à la fois vivant et mort dans deux dimensions superposées. Parfois, Soledad essayait de se consoler de l'étroitesse du destin individuel en imaginant ces autres possibilités, ces autres vies fantasmatiques. Maintenant qu'elle y pensait, quand Rosa Montero parlait d'inventer d'autres réalités, peut-être ne s'agissait-il que de cela. Peut-être que la romancière était une surfeuse dans un autre univers. Et pareil pour Philip K. Dick, quand il imaginait d'autres vies. Ou Maupassant. Et elle, Soledad, peut-être était-elle en train de pleurer maintenant son veuvage précoce de Pablo quelque part.

Le destin, farceur, s'amuse parfois à regrouper des phénomènes semblables. Quand vous êtes malheureux, les désastres semblent s'accumuler et finissent par vous tomber dessus comme un déluge. Après qu'Adam fut parti en claquant la porte la veille au soir, Soledad n'avait pas pu fermer l'œil. L'idée ne lui était même pas venue de se mettre au lit : elle savait qu'il serait infesté de cauchemars. Elle avait passé des heures assise devant la table de la cuisine, à boire une infusion après l'autre pour essayer de diluer son niveau d'alcool et se calmer. Cela n'avait pas marché. À neuf heures du matin, elle était toujours hagarde, la tête enflammée, à repenser obsessionnellement les mêmes pensées. Par-dessus le marché, à neuf heures deux son portable sonna, et c'est là qu'arrive la deuxième calamité coïncidente ; c'était Ana Santos Aramburo, la directrice de la bibliothèque. Marita Kemp était en train d'essayer de tout envoyer balader ; en arrivant ce matin à son bureau, Ana avait trouvé une lettre officielle de Triple A dans laquelle ce dernier lui demandait de confier le commissariat de l'exposition à l'architecte ou, à défaut, la pleine responsabilité et autorité sur l'expo.

– Viens ici tout de suite. Nous devons préparer notre réponse, dit Ana, et elle raccrocha.

Et c'est ce que fit Soledad ; elle se doucha, s'habilla, but un café double et partit en direction de la Bibliothèque nationale avec du plomb dans la cervelle et l'esprit pétrifié.

Elle était maintenant de retour, trois heures après. Plus fatiguée, plus triste et avec moins de perspectives d'avenir que jamais. Elles avaient consulté un avocat sur la possibilité de porter plainte contre Marita pour le vol de l'idée de

Soledad, mais, étant donné que celle-ci ne l'avait pas déposée au Registre de la propriété intellectuelle, l'homme de loi leur avait communiqué qu'il serait impossible d'obtenir quoi que ce soit par cette voie. Découragées, après avoir beaucoup débattu sans trouver d'issue, elles avaient décidé que Soledad enverrait un nouveau plaidoyer à Triple A pour expliquer et défendre le concept de son exposition. De son côté, la directrice refuserait les pressions d'Antonio Álvarez Arias, même si elle redoutait que cela ne la place dans une situation très difficile.

– Doña Soledad ! Doña Soledad !

Matilde, la concierge, descendait en courant les escaliers avec son balai à la main. Soledad rouvrit les portes de l'ascenseur.

– Oui ?

– Il est venu ce jeune homme qui est avec vous... qui est parfois avec vous. Je lui ai dit que vous étiez sortie, mais il est quand même monté et il m'a dit qu'il avait la clef, j'espère qu'il n'y a pas de problème...

– Non, tout va bien, Matilde, merci.

Elle referma l'ascenseur avec des mains tremblantes, son cœur cabriolant dans sa poitrine. Quelle idiote, quelle incorrigible idiote ! Comment était-il possible qu'elle se réjouisse du retour d'Adam ? Quelques heures auparavant, elle lui avait dit les choses les plus terribles, mais elle ne pouvait maintenant empêcher un sourire de danser sur ses lèvres. Il y avait encore de la vie et de l'espoir, après la dispute d'hier soir.

Elle souriait encore quand elle fit tourner la clef dans la serrure ; à cause de sa nervosité, elle fit tomber le trousseau par terre. Elle le ramassa et entra.

– Adam ?

Et c'est ici que survient la troisième coïncidence catastrophique : le Russe apparut à la porte du séjour avec une tête bizarre, comme de circonstance ; et, avant que personne n'ait pu dire quoi que ce soit, Jerusalém apparut à ses côtés.

– Que… que… qu'est-ce qu'elle fait là ? Comment oses-tu l'amener chez moi ? balbutia Soledad, stupéfaite.

Un éclair de peur lui traversa le cerveau :

– Qu'est-ce que vous voulez de moi ? Qu'est-ce que vous allez faire ? Pourquoi est-ce que vous êtes venus ?

Elle se retrouva tout à coup le dos appuyé contre la porte fermée : elle avait dû reculer sans s'en apercevoir. Adam s'approcha en montrant ses mains dans un geste apaisant.

– Du calme, du calme, on veut rien faire, on a besoin d'aide, on sait pas où aller ! implora le Russe.

– Allez-vous-en de chez moi ! Allez-vous-en !

– Non, s'il te plaît, attends, les Chinois veulent nous tuer ! Ils ont démoli mon appart ce matin, ils m'attendaient, on a dû partir en courant !

– Les Chinois ?

– L'entrepôt de Vicálvaro. La moitié des machines à sous de Madrid appartiennent au Chinois. Les sacs d'argent étaient là. J'ai juste pris quelques euros dans chaque sac. Très peu, presque rien. Je croyais qu'ils se rendraient pas compte.

À côté de lui, Jerusalém se taisait en se tordant les mains.

– Et elle ?

– J'ai dormi avec elle hier soir… on a amené son fils à la garderie ce matin… et quand on est rentrés chez moi, ils étaient là… tout détruit… Ils ont failli nous attraper…

Il avait dormi avec elle hier soir, put seulement entendre Soledad. Pendant qu'elle agonisait d'angoisse dans la cuisine, ce misérable dormait dans les bras de la belle Jerusalém.

– Imbécile, marmonna Soledad. Tu es un imbécile.

Elle vit rouge, elle vit noir, son cerveau disjoncta, inondé de fiel. Elle se débattit maladroitement avec la porte et, quand elle réussit à l'ouvrir, elle descendit les escaliers comme une flèche.

Grâce aux renseignements qu'Adam lui avait donnés dans ses longues péroraisons sur son travail pour les Chinois et une petite aide de Google, Soledad localisa rapidement l'entrepôt. Il était situé dans la zone industrielle F-2 de Vicálvaro, calle del Cobre, sans numéro. Elle entra l'adresse dans le navigateur de la voiture, mais cela faisait des années qu'elle ne l'avait pas actualisé et elle était maintenant perdue. Elle se trouvait dans une vieille zone industrielle à moitié abandonnée ; il y avait des hangars aux toits de tôle effondrés, des lots fermés par une grille de fer qui s'étaient transformés en dépotoirs, des graffitis semblables à de grands cris silencieux sur les murs, des parois noircies par le feu. C'était un lieu terrifiant, pensa Soledad dans un frisson tandis qu'elle vérifiait que les sécurités des portières étaient mises. On aurait dit le décor d'un film futuriste et dystopique. De temps à autre, elle croisait une voiture, un camion, une personne. L'endroit était tellement inhospitalier qu'elle redoutait presque plus de rencontrer quelqu'un que d'être seule.

Finalement, après avoir tourné un millier de fois et parcouru à trois reprises la même avenue principale, une large rue aux lampadaires cassés et aux bennes à ordures fondues, elle réussit à voir une petite plaque qui disait calle del Cobre. Elle tourna dedans et, à trois cents mètres environ, elle vit l'entrepôt. C'était un hangar énorme, ou plutôt plusieurs hangars réunis, récemment peints en blanc avec les portes métalliques en rouge. Au-dessus de l'entrée principale, des panneaux rouges également avec des caractères chinois.

Elle se gara à distance prudente et resta là à regarder l'endroit avec hébétude. Elle battit des paupières : ses yeux étaient brûlants. La tension et la fatigue de sa nuit sans sommeil la plongeaient dans un état de semi-hallucination, comme si elle était sous l'effet d'une drogue. L'aspect sinistre du quartier augmentait sa sensation d'irréalité. Soledad ne savait pas très bien pourquoi elle était venue. Enfin, si, pour se venger. C'est ce qu'elle avait pensé en partant de chez elle à toute allure. Aller voir ce fameux Chinois et lui dire : je sais où se trouve cet imbécile. Si vous me promettez de ne pas le tuer, je peux l'amener dans un bar, par exemple, et je vous le donne. Pour moi, vous pouvez lui flanquer quelques trempes et une bonne trouille. Cette pensée avait été un réconfort pendant qu'elle conduisait jusqu'à Vicálvaro ; ce rêve de revanche avait été un soulagement. Mais maintenant qu'elle était là et que le monde commençait à se transformer en cauchemar, ce plan lui semblait de plus en plus délirant, absurde et dangereux. Mais quelle autre option avait-elle ? Retourner comme si de rien n'était au naufrage de sa vie ? Elle ne supportait pas de devoir affronter sa réalité.

Tu es folle ! s'écria-t-elle.

Une femme d'âge mûr à l'intérieur d'une vieille Audi garée dans une zone industrielle en ruine en train de crier toute seule qu'elle était folle. Elle était un cas désespéré. Il fallait qu'elle parte de là, elle le savait, sa part la plus sensée lui disait : démarre le moteur et pars. Mais il y avait une autre part d'elle-même qui s'obstinait à continuer, une zone abyssale qui la possédait parfois, cette pulsion destructrice qui l'avait poussée à appeler Pablo encore et encore, à lui écrire encore et encore, à le suivre encore et encore. Elle était emportée par l'inertie de sa blessure, par l'aveuglement d'une douleur très ancienne. Elle était comme le *Titanic*, qui, même en faisant machine arrière, avait suivi son imparable dérive vers la catastrophe certaine de l'iceberg. Elle eut la nausée. Sa vie entière semblait s'écrouler, pensa-t-elle. Pourquoi ne pas collaborer un peu au processus.

Elle sortit de la voiture et se dirigea vers l'entrepôt. Il était trois heures de l'après-midi, se dit-elle avec espoir : il n'y aurait sûrement personne à cette heure-ci. Elle monta les quatre marches de l'entrée principale et poussa la porte. Celle-ci donnait sur une pièce minuscule construite en plaques de plâtre avec un petit comptoir et un Chinois derrière.

– Bonjour, dit l'homme.

– Bonjour. Je viens voir… – Elle se rendit brusquement compte qu'elle ne savait pas comment il s'appelait – … le directeur, le chef, le propriétaire de tout ça.

Le réceptionniste la regarda, imperturbable.

– Pourquoi ?

– Dites-lui que je viens de la part d'Adam Gelman… d'Adam l'électricien.

Le réceptionniste parla dans sa langue au téléphone. Puis il raccrocha et dit :

– Attendez.

Soledad attendit, de plus en plus nerveuse et nauséeuse. Au bout de quelques minutes, une très belle Orientale vêtue d'un tailleur élégant entra par la seule porte intérieure qu'il y avait dans la pièce.

– Venez avec moi, s'il vous plaît.

Soledad franchit le seuil derrière elle et lâcha une exclamation : de l'autre côté s'ouvrait un espace immense rempli d'étagères tubulaires ; elles allaient du sol jusqu'au plafond élevé et elles débordaient de toutes sortes d'objets. Des enfilades de rues serpentaient entre les rayonnages, créant un effet étourdissant de labyrinthe. Soledad suivit la jeune femme en se sentant de plus en plus en dehors de la réalité. Ses oreilles bourdonnaient, elle avait du mal à respirer. Elle allait avoir une crise d'angoisse. Elles marchèrent, traversèrent des intersections et tournèrent dans des secteurs entiers d'ours en peluche, de batteries de cuisine, de chaussures de sport, de sèche-cheveux. Au bout de quelques mètres, Soledad était perdue.

Elles franchirent une autre porte et arrivèrent dans ce qui semblait être la zone des bureaux : un couloir et des pièces sur les côtés, avec des gens qui entraient et sortaient. La fille alla tout au fond et frappa doucement avec la jointure de ses doigts sur un battant entrebâillé. Quelqu'un répondit quelque chose en chinois depuis l'intérieur.

– Entrez, je vous en prie, dit la jeune femme.

Soledad ravala sa salive et entra dans un bureau de dimensions moyennes. Une table en contreplaqué, des casiers de rangement en métal, deux affreuses chaises de bureau. Les meubles les moins chers du marché. Derrière la table, un type maigrichon et chétif à l'air juvénile : il ne devait pas avoir quarante ans, mais on ne savait jamais avec les Asiatiques. Il portait une chemise blanche sans cravate et une veste noire ordinaire trop grande pour lui. Il avait l'air d'un parent endeuillé dans un costume prêté. Rien à voir avec l'idée qu'elle se faisait du mafieux ; mais, bien sûr, ce n'était peut-être pas le chef.

– Vous êtes… le directeur de tout ça ? hésita Soledad.

– Oui. Je suis celui avec qui vous devez parler. Et vous vous appelez… ?

– Soledad. Soledad López, improvisa-t-elle tout à coup, en pensant qu'il vaudrait mieux ne pas donner son identité. Dommage d'avoir dit son vrai prénom.

– Très bien, madame López, dites-moi en quoi je puis vous aider.

Il s'exprimait tout à fait correctement et sans aucun accent.

– Vous parlez très bien notre langue.

– Je suis espagnol. Je suis né à Madrid. On m'a dit que vous venez de la part de cet électricien russe, dit-il, expéditif.

Soledad tressaillit.

– Enfin, pas tout à fait de sa part… mais oui.

Le Chinois la regarda, impassible.

– Cet homme est un imbécile, dit-il tranquillement. Vous savez certainement qu'il nous a volé de l'argent.

Soledad ravala sa salive :

– C'est… c'est ce qu'on m'a dit, mais en vérité je ne sais ni combien ni comment.

L'homme acquiesça et pianota sur son ordinateur. Il tourna l'écran vers Soledad pour qu'elle puisse voir les images. Adam apparut en noir et blanc, filmé d'en haut. Il se trouvait à côté d'une table sur laquelle il y avait une douzaine ou plus de sacs en toile ; l'escort ouvrait les sacs, prenait une poignée de pièces dans chacun et les jetait dans sa caisse à outils.

– L'électricité était coupée, il l'avait lui-même coupée pour la réparation qu'il était en train de faire, et j'imagine qu'il croyait que sans électricité les caméras de surveillance ne marchaient pas, mais il se trouve que nous avons un système de sécurité sur batteries, justement au cas où ça arriverait. Et puis les sacs venaient d'être apportés et n'avaient pas encore été comptés, et j'imagine encore qu'il croyait qu'en prenant quelques euros dans chaque sac personne ne s'en apercevrait. Mais le fait est que, premièrement, les machines à sous enregistrent les euros qui entrent ; et ensuite, en plus, les sacs sont pesés, et leur poids nous indique la quantité exacte. Compter ensuite les euros à la main, c'est boucler la boucle, une sorte de tradition, nous le faisons mais en réalité ce n'est pas nécessaire. En d'autres termes, comme je vous le disais, ce Russe est un imbécile.

Soledad contemplait l'écran, hypnotisée.

– Combien… combien a-t-il pris ?

– Cinq mille cent quatre-vingt-sept euros, à une pièce près. Regardez.

Le Chinois toucha le clavier et l'image changea. À présent la caméra montrait Adam à l'extérieur, sortant du hangar et traînant péniblement sa caisse par terre. On voyait qu'il voulait simuler la normalité mais il avait l'air plutôt ridicule.

– Il s'agit de trente-huit kilos et neuf cents grammes. À sept grammes et demi l'euro. Calculez vous-même, dit le Chinois, imperturbable.

Comme un enfant, pensa Soledad. Quarante kilos de pièces de monnaie et cette joie puérile. Cette manière absurde de traîner sa caisse à outils. Ce projet catastrophique de délinquance. Les larmes lui vinrent aux yeux. Quand il annonçait une affaire juteuse à Jerusalém, il ne parlait pas de lui soutirer de l'argent à elle.

– Je peux vous demander quelle relation vous avez avec cet électricien ? demanda l'homme.

Soledad soupira. Elle savait maintenant pourquoi elle était là. Elle comprenait maintenant pourquoi elle était venue. Pour savoir. Et pour intercéder.

– Je le connais. C'est un ami. C'est un imbécile, oui, mais ce n'est pas un mauvais garçon. Et il est effrayé parce que vous êtes allés chez lui.

– Nous sommes juste allés chercher notre argent. Nous ne l'avons pas trouvé, alors il va maintenant falloir que je porte plainte à la police.

– Écoutez, je suis prête à vous payer la quantité volée si nous oublions cette histoire.

– Mmmm… je ne sais pas. Il est bon de donner une leçon à ces gens-là…

– Je vous donnerai six mille euros.

– Je crois que je devrais porter plainte contre lui.

– Sept mille, et la garantie qu'il ne va rien arriver à Adam… ni à personne d'autre.

– D'accord. Sept mille. Pour les inconvénients. Et naturellement qu'il ne va rien arriver à personne, je ne sais pas ce que vous insinuez. Vous pouvez nous faire un virement. J'attendrai jusqu'à demain pour aller à la police. Envoyez l'argent aujourd'hui. Voici le compte, dit-il en lui donnant une carte.

LA MAISON DU BONHEUR, IMPORT-EXPORT, disait le bristol. L'envers était écrit en chinois. Elle allait devoir vendre une partie de ses placements, elle allait demander une avance à Ana Santos Aramburo, ou plutôt à Miguel, son ancien chef à Triángulo. Elle se débrouillerait pour réunir la somme.

– Quand même, laisser tout cet argent ici à la vue, sans surveillance, à la portée de n'importe qui… Vous ne trouvez pas que c'est tentant ? Vous ne croyez pas que vous avez une part de responsabilité ? dit Soledad, irritée par ce magouillage.

– Évidemment. Et celui qui a commis cette erreur a été puni comme il se doit, soyez-en sûre.

Soledad imagina des pouces amputés, des coups de batte de base-ball, tout l'attirail vindicatif mafieux. Elle dut faire une tête si effrayée que le Chinois éclata de rire. Ce fut le premier mouvement expressif de son visage de pierre.

– Ne vous inquiétez pas… C'est un de mes petits cousins. Je l'ai juste envoyé ramasser du riz pendant six mois dans les terrasses du Guilin, pour qu'il mûrisse. Il me semble que vous avez vu trop de film de gangsters. Écoutez, je ne suis qu'un homme d'affaires. Les machines à sous sont totalement légales. Je paie mes impôts. Et je travaille beaucoup. Au revoir, madame López.

Elle sortit du hangar comme en transe. Il y avait quelque chose qui s'était dénoué en elle. Elle se sentait plus tranquille. Et plus triste également. La fureur était une fuite de la peine. Elle marcha hébétée vers sa voiture et se rendit subitement compte qu'elle mettait longtemps à arriver. Elle redressa la tête et jeta un coup d'œil aux alentours : l'Audi n'était plus là. Comment était-ce possible ? Angoissée, elle regarda avec anxiété d'un côté de la rue puis de l'autre. Rien. Elle n'était pas là. Il y avait trois fourgonnettes garées devant l'entrepôt et l'on ne voyait aucun autre véhicule. On la lui avait volée.

Elle encaissa le choc. Et maintenant ? Elle regarda avec crainte l'environnement hostile. Il ne manquait plus qu'on l'attaque, qu'on la viole, qu'on l'égorge. Elle allait appeler un taxi et l'attendre à la porte de l'entrepôt, pensa-t-elle. Elle sortit son portable et commença à retourner prestement vers le hangar : elle s'était trop éloignée sans s'en apercevoir et se sentait à présent sans défense dans ce territoire sauvage. C'est alors qu'elle entendit un grincement de pneus et une voiture apparut en dérapant à l'angle de la rue et s'arrêta devant elle, lui coupant le passage. Soledad cria. Un jeune Chinois sortit de l'automobile.

– Votre voiture, madame.

Soledad cligna des yeux : en effet, c'était sa vieille Audi bleu foncé. Bouche bée, elle s'assit au volant. Le garçon s'appuya sur la fenêtre ouverte :

– Immatriculations, sur siège, dit-il en montrant l'intérieur.

Soledad regarda : en effet, les deux plaques d'immatriculation de sa voiture se trouvaient sur le fauteuil du copilote.

– Désolé, ici voleurs très rapides. M. Liao regrette petit inconvénient.

Sur ce, il se redressa et frappa deux petits coups sur le toit de la voiture, comme le font les mécaniciens des courses de Formule 1 pour indiquer aux pilotes qu'ils peuvent s'en aller.

Et Soledad, obéissante, s'en alla.

Ils étaient assis tous les trois dans le salon, alignés sur le canapé, très droits et bien habillés, une famille modèle. Adam, Jerusalém et Rubem. Quand elle avait interviewé la métisse chez elle et qu'elle avait appris que son prénom tout comme celui de son fils se terminaient par un *m*, Soledad s'était sentie perdue : ces consonnes finales si peu habituelles en espagnol indiquaient leur prédestination comme amants, ces *m* scellaient leur destin. Adam, Jerusalém et Rubem. Le gamin serrait entre ses doigts deux carrés de chocolat que Soledad lui avait donnés, mais il n'osait pas les manger. C'était un enfant très bien élevé, sérieux et adulte comme seuls peuvent l'être les enfants qui ont souffert. Tous les trois la regardaient sans ciller. Soledad aurait voulu crier et pleurer, mais au lieu de cela elle dit :

– Alors vous partez finalement pour le Brésil ?

– Oui. Pour Bahia. Je suis bahianaise. Vous connaissez ? C'est très joli, dit la jeune femme avec son doux accent.

Soledad avait décidé de lui offrir l'argent de la dette. Autant faire les choses en grand. Avec ce qui lui restait du vol après avoir payé les billets d'avion, plus les économies qu'il avait, principalement l'argent qu'elle lui avait donné pour la baiser, se dit Soledad avec une brutalité qui la soulageait un peu, Adam comptait repartir à zéro à l'autre bout du monde. Qui sait ce qu'il adviendrait de lui. C'était un homme qui se tenait juste sur le fil du rasoir, à la charnière même de son existence ; il pouvait graviter vers l'illégalité et finir en prison, ou bien il pouvait se construire une vie décente. Tant de gens traversaient des moments critiques similaires dans lesquels leur avenir était en jeu ! Comme André Malraux, par exemple, le très respecté André Malraux, écrivain célèbre et ministre d'État et de la Culture sous De Gaulle, qui en 1923, à vingt et un ans mais déjà marié, avait voyagé au Cambodge avec son épouse pour voler des œuvres d'art khmers. Ils avaient été pris en train d'arracher les bas-reliefs d'un temple et il avait été condamné à trois ans de prison, mais il n'avait passé que quelques mois derrière les barreaux car les écrivains s'étaient mobilisés en sa faveur. Ce fut un faux pas qui ne se reproduisit pas : à partir de là, le succès, la respectabilité, la consécration. Il est vrai qu'aucun intellectuel n'allait manifester en faveur du pauvre Adam.

– Merci beaucoup pour tout ce que tu as fait pour nous. Nous te sommes vraiment très reconnaissants, dit Jerusalém.

Adam demeurait guindé et muet. Le chocolat était en train de fondre dans la main de l'enfant et Soledad commençait à avoir peur pour son canapé. Elle aurait voulu taper des pieds et s'arracher les cheveux, mais au lieu de cela elle dit :

– Ce n'est rien. Ce qui compte, c'est que vous fassiez quelque chose de bien de vos vies, que vous soyez raisonnables – elle fut écœurée de s'entendre : on aurait dit un curé faisant son sermon.

– Nous ferons en sorte que tu sois fière de nous, répondit la jeune femme.

Soledad avait parlé avec Adam quelques jours plus tôt. Et il lui avait dit :

– Bien sûr que tu m'as plu, bien sûr que tu me plais, mais que veux-tu ? Je suis amoureux de Jerusalém. Toi et moi, nous n'avons aucun avenir.

Évidemment. Évidemment. Il était difficile d'accepter qu'un imbécile capable de voler un sac de quarante kilos de pièces de monnaie vous fasse la leçon. Mais il avait tout à fait raison.

Et qui plus est, Adam n'était pas un imbécile. Il était naïf. Et nécessiteux. Et il était pas mal détruit. Tout comme Soledad.

La famille heureuse partait donc le lendemain pour le Brésil et ils étaient venus aujourd'hui lui dire au revoir. Si jeunes, si beaux. Avec toute la vie devant eux, tandis qu'il ne lui restait plus qu'à descendre de la scène et éteindre les projecteurs. "N'entre pas sans violence dans cette bonne nuit. Le vieil âge devrait brûler et s'emporter à la chute du jour, rager, s'enrager contre la mort de la lumière", avait craché Dylan Thomas avec lucidité. Ils s'étaient tout dit, si bien qu'ils se levèrent. Ils n'avaient pas touché aux cafés et l'enfant avait encore le chocolat collé à ses doigts poisseux. Jerusalém se pendit au cou de Soledad et l'embrassa : sa dure chevelure frisée lui griffa le visage.

– Merci, merci, nous t'écrirons, dit la jeune femme.

Puis elle prit l'enfant par la main et se retourna vers Adam avec une bienveillance de propriétaire :

– Je t'attends à l'ascenseur.

Ils restèrent seuls à côté de la porte entrebâillée. Le Russe la regardait, silencieux, très beau. Quelle foutue malchance qu'il continue de lui sembler si beau. C'était, selon toute probabilité, la dernière fois qu'elle le voyait. Maintenant le gigolo franchirait cette porte et se dirigerait vers l'un ou l'autre de ses futurs possibles : vers une vie raisonnablement heureuse aux côtés de la douce Jerusalém, ou vers la destruction d'un cancer prématuré, ou vers l'invention d'un nouveau type de batterie électrique qui le rendrait riche, ou vers une condamnation à vingt ans de prison pour l'assassinat d'un homme dans une rixe. Ou peut-être vers tous ces destins à la fois dans différents univers remplis de chats.

– Soledad… dit Adam.

Ses yeux se mouillèrent tout à coup et il eut une voix brisée et pâteuse, comme alourdie de larmes.

– Jamais personne n'avait fait quelque chose comme ça pour moi. Jamais, personne, bafouilla-t-il en tremblant.

Et Soledad se détesta, car il la regardait comme on regarde une mère.

Ils se serrèrent dans les bras l'un de l'autre. Son odeur, sa chaleur. Puis le Russe s'écarta d'elle et sourit avec émotion.

– Adieu, murmura-t-il.

Soledad aurait préféré se suicider, mais au lieu de cela elle dit :

– Sois heureux. Sois très heureux.

Et elle était sincère.

L'eau tombait sur la tête et les épaules de Soledad, chaude, très chaude, brûlant presque sa peau rougie. Elle ne reverrait plus jamais Adam, pensa-t-elle sans penser, pataugeant simplement dans le lac de sa tristesse. Elle ne reverrait plus jamais Adam et peut-être n'aurait-elle plus d'autre amant de sa vie, continua-t-elle, ruminant et creusant la blessure. Elle ne reverrait plus jamais Adam, peut-être n'aurait-elle plus d'autre amant de sa vie et en plus c'était mercredi aujourd'hui, ajouta-t-elle, angoissée, à la liste de ses misères. Mercredi, jour de la visite à sa sœur Dolores. La réalité faisait irruption dans toute sa brutalité et Soledad ne pouvait pas contrer les dégâts par la fièvre consolatrice de la passion. Ah, si seulement on arrivait à se nettoyer la mémoire de la même façon qu'on se lavait le corps, pensa-t-elle alors qu'elle se savonnait. Mais non : le souvenir de la souffrance s'accrochait à votre tête comme un pou. D'un autre côté, rien ne changerait le fait que l'on soit mercredi aujourd'hui et qu'elle doive affronter une fois de plus sa jumelle.

Dolores l'éternelle prisonnière, Dolores si paisible, alors qu'elle, Soledad, allait et venait, entrait et sortait, voyageait et aimait, en se croyant vivante et, surtout, en se croyant à l'abri de la vieillesse. Car l'un des mirages les plus répandus consiste à croire que nous n'allons pas devenir comme les autres vieillards, que nous serons différents. Mais l'âge vous rattrape toujours ensuite et vous finissez aussi tremblotant, fragile et baveux. Soledad savait bien quel était son avenir, elle savait en quoi elle allait se transformer, car Dolores était son portrait de Dorian Gray, Dolores avait vieilli sans relâche dans son enfermement alors qu'elle courait à travers le monde ; mais Soledad avait beau faire des efforts, elle avait beau faire sept fois le tour du Retiro au trot tous les jours, elle serait finalement rattrapée par son portrait. Dolores et elle, en fin de compte, se ressembleraient à nouveau comme deux gouttes d'eau.

Alors c'était tout ? Le paquet-cadeau aux couleurs brillantes ne cachait donc que cela ? Soledad appuya ses deux bras sur le carrelage blanc et laissa le jet de la douche frapper son dos. C'était douloureux. Elle ne regrettait pas de ne pas avoir eu d'enfants, elle ne les supportait pas, mais elle se sentait encore un peu plus ratée, un peu plus inadaptée. En réalité, elle était le résultat de générations et générations d'êtres humains victorieux, d'hommes et de femmes qui, depuis les temps préhistoriques les plus reculés, s'étaient débrouillés pour survivre à l'enfance, et pour s'accoupler, et pour accoucher d'enfants sains, et pour les faire grandir jusqu'à ce qu'ils parviennent à leur tour à l'âge fertile et à un nouveau triomphe de l'espèce, et ainsi de suite les uns après les autres pour parvenir jusqu'à elle. Et qu'avait-elle fait de ce très long héritage d'efforts et de succès ? Se flétrir, ne pas avoir de descendance, échouer. Mettre fin à cette ligne de vie. Soledad était une déception pour ses ancêtres.

Ahhhhhh, tais-toi donc, pleurnicharde insupportable !!!! brailla-t-elle à tue-tête sous le tumulte de l'eau.

Pourquoi prenait-elle toujours tout tellement à cœur ? Soledad connaissait d'autres personnes qui ne prenaient pas la vie aussi mal qu'elle. Des hommes et des femmes sans enfants et sans conjoint qui semblaient très heureux. Pourquoi n'y arrivait-elle pas ? Mais, bien sûr, peut-être avaient-ils décidé d'être ainsi ; ils n'étaient probablement pas prisonniers des circonstances comme Soledad, qui sentait que sa vie était une anomalie, une tare qu'elle devait porter comme Rigoletto portait sa bosse. "Qu'il est terrible d'être difforme et d'être un bouffon, d'avoir à rire alors que je veux pleurer", chantait de façon bouleversante Rigoletto, le monstre tragique. Toute la question était là, le monstre intérieur. Le problème c'était d'être un monstre comme elle, comme Dolores, et même comme le bel Adam.

Elle referma le robinet et un silence cotonneux tomba soudain sur ses épaules. Toute la douche était remplie de vapeur, un petit nuage à l'intérieur de la salle de bain. Elle posa sa main sur la porte coulissante en verre trempé, totalement embuée, et la poussa vers la droite pour l'ouvrir. Celle-ci bougea d'un demi-centimètre et s'arrêta. Elle poussa à nouveau. Rien. Elle utilisa ses deux mains et, mettant le doigt dans le trou arrondi qui tenait lieu de poignée, elle tira de toutes ses forces, de plus en plus inquiète. Rien. La porte, haute, imposante et lourde, qui devait glisser entre deux rails métalliques situés au plafond et au sol, semblait s'être déboîtée, se bloquant. Soledad était nue et ruisselante, coincée dans un habitacle sans fenêtres, entourée de murs de tous les côtés à l'exception de cette porte design qui, maintenant, était un piège. À travers la brume de la vitre, elle vit son portable sur le plan du lavabo, impossible à atteindre, bien sûr. Elle pensa : on est mercredi et la femme de ménage ne vient pas avant vendredi. Elle pensa : je ne vais manquer à personne, même pas à Dolores ; tout au plus, et pour des raisons professionnelles, Santos Aramburo se demandera peut-être ce que je deviens, mais son inquiétude ne sera pas grande au point de venir chez moi. Soledad toujours si seule.

Elle ne savait pas si en rire ou en pleurer, tout était si ridicule ; et sur ce, elle commença à sentir qu'une crise d'angoisse approchait. Elle s'attaqua de nouveau à la porte, la tira et lui donna des coups de pied, sans réussir à la faire bouger d'un millimètre. Elle inspira profondément. Du calme. Du calme.

– Au secours ! À l'aide ! Est-ce que quelqu'un m'entend ? Je suis enfermée dans la douche !

Elle cria pendant plusieurs minutes sans obtenir de réponse. L'immeuble avait près de deux siècles et des murs très épais. On n'entendait presque jamais les voisins, ce que Soledad avait trouvé merveilleux jusqu'à maintenant. Non, ils n'allaient pas l'entendre ; et, s'ils le faisaient, ses sauveurs la trouveraient nue et trempée comme un poulet. Quelle humiliation. Elle préférait être secourue par la femme de ménage, mais, bien sûr, il fallait encore deux longues journées avant son arrivée. Soledad sentit que son cœur s'accélérait à nouveau, qu'elle étouffait. Du calme, du calme. J'ai de l'eau et je ne mourrai pas, mais ces deux jours vont être épouvantables.

Elle grelottait de froid, si bien qu'elle s'arrosa une nouvelle fois d'eau chaude. À force de tant me doucher je vais finir fripée comme un pruneau, pensa-t-elle ; et elle se rappela avec nostalgie la chaleur des bras d'Adam. C'est étrange, se dit Soledad, la rupture avec le Russe lui faisait mal, bien sûr, et la mélancolie lui collait à la peau comme une mélasse épaisse. Mais, à dire vrai, la souffrance n'avait pas été aussi aiguë qu'elle l'imaginait. Elle ressentait même une sorte de soulagement, peut-être d'avoir pu se libérer d'une relation si ambiguë, si inquiétante. Mais non, ce n'était pas que cela. Il y avait autre chose. Quelque chose qui avait à voir avec ce qui s'était passé dans l'entrepôt des Chinois. Avec l'instant où elle avait réussi à voir Adam dans toute sa précarité et, compatissante, l'avait aimé tel qu'il était et avait décidé de l'aider. Ce moment d'étrange générosité était devenu une autre scène essentielle de sa vie. Elle n'était plus condamnée à répéter, ou à essayer d'éviter, le harcèlement de Pablo : elle avait aussi, maintenant, une minute de grâce avec laquelle se souvenir d'elle-même. Savoir qu'elle pouvait se comporter ainsi avait nettoyé des puits ténébreux à l'intérieur d'elle. Elle avait l'impression que sa bosse de monstre pesait un peu moins lourd.

Elle soupira ; tout ceci était bien beau, mais elle était toujours coincée dans la douche, un accident domestique risible et cependant très angoissant. Comment allait-elle tenir deux jours là-dedans ? Elle se remit à tirer sur la porte avec désespoir. Rien. Elle souffla, proche des larmes. Du calme, du calme. Elle tâta le verre lourd et incassable. Plus fait douceur que violence. Elle poussa délicatement le battant avec son genou et essaya de le soulever et de le faire glisser en même temps. Elle perçut une petite oscillation, entendit un clic à peine audible et, tout à coup, le panneau coulissa sur ses rails avec une parfaite et légère facilité, comme s'il ne s'était jamais rebellé.

Stupéfaite, Soledad resta là à regarder l'embrasure maintenant ouverte, le seuil dégagé. Elle fit un pas en avant et sortit de la douche. Aussi simple que cela. Tout était si difficile auparavant et c'était si facile désormais : il suffisait juste de faire un pas. Elle s'enveloppa dans une serviette, transie de froid, et regarda avec méfiance son ancienne prison. Elle ferait revoir la porte et poser un téléphone dans la douche, comme dans les hôtels. Elles étaient tellement variées, inattendues et innombrables, les calamités qui pouvaient s'abattre sur un être solitaire…

Soledad se félicitait maintenant de s'être obligée à sortir pour courir. Elle avait souvent la flemme d'enfiler son legging, ses baskets, son sweat-shirt, et surtout de parcourir les deux kilomètres qu'il y avait presque entre chez elle et le parc du Retiro à travers le centre-ville de Madrid, bondé de gens et de voitures. Mais à présent, dans le parc, son corps bougeait avec une légèreté joyeuse. C'était dimanche, le printemps explosait, un tapis de minuscules marguerites ornait la pelouse et les oiseaux piaillaient frénétiquement. Toutes les femmes étaient enceintes, toutes les adolescentes se frottaient et se mordillaient comme si elles désiraient l'être, l'air même semblait chargé de vie et de phéromones. Alors qu'elle passait à côté du énième couple de jeunes de quinze ans qui se mettaient la langue jusqu'à la luette, Soledad ressentit une fois de plus une morsure de panique, le chagrin infini de penser qu'elle ne tomberait peut-être plus amoureuse, qu'elle ne s'abriterait peut-être plus contre le torse d'un homme, qu'elle n'accueillerait plus un amant dans son ventre, que sa chair ne s'enflammerait plus avec une autre chair. La dernière fois que vous faites l'amour, la dernière fois que vous gravissez une montagne, la dernière fois que vous courez dans le parc du Retiro. Le temps tictaquait, inexorable, vers la destruction finale, telle une bombe.

Elle fut sur le point de crier, mais, heureusement, elle se retint.

Il y avait beaucoup de monde dans le parc et Soledad croisa tous les personnages habituels : le vendeur de drogue subsaharien qui donnait des miettes de pain aux pigeons, le garçon qui parcourait le Retiro tous les jours avec une laisse à la main en appelant un chien qui n'existait pas, la métisse qui de loin semblait une belle jeune femme en bikini prenant allègrement le soleil, mais qui, lorsque vous vous approchiez, s'avérait être une quinquagénaire vagabonde et probablement cinglée avec toutes ses affaires dans des sacs plastique. Le jour déclinait et la cime des arbres se découpait en noir sur un ciel presque blanc strié d'électrisantes lignes de feu. Tout à coup, Soledad sentit qu'elle s'élevait, qu'elle s'envolait au-dessus de ces cimes obscures ; qu'elle pouvait voir le parc d'en haut comme un oiseau, avec toute l'agitation minuscule des personnes qui le remplissaient, avec le tumulte de leurs désirs et de leurs besoins et de leurs affections. Nous vivons sur un grain de poussière suspendu dans un rayon de soleil, disait Carl Sagan. Se voir elle-même un instant à l'intérieur du tout, microscopique et identique, la consola. Elle eut l'impression qu'elle se délivrait de ses désirs, que ses jalousies s'apaisaient, qu'elle contemplait tout d'une façon plus légère, plus empathique. Son ex-amant Mario, par exemple ; elle n'avait plus aucune rancœur envers lui, au contraire, elle s'en souvenait avec tendresse, et elle était même certaine que, lorsqu'il lui avait dit qu'il avait pris des entrées pour voir *Tristan et Iseult* avec sa femme, il essayait de lui démontrer par là son affection. Moi aussi je pense à toi et c'est pour ça que je vais aller voir cet opéra, avait-il voulu lui dire. Les hommes étaient souvent d'une telle maladresse.

Elle respira profondément ; en réalité, et à sa surprise, cela faisait plusieurs semaines qu'elle se sentait inhabituellement aimable et tolérante. Cet après-midi même, par exemple, alors qu'elle sortait de chez elle pour aller courir, elle était tombée sur Ana, la journaliste, sa voisine de la mansarde. La jeune femme était venue vers elle, exultante :

– J'ai gagné ! Tu te souviens que je t'avais dit que j'avais présenté mon roman à un concours ? J'ai gagné ! Ils vont publier mon livre et en plus ils me donnent cinq mille euros.

La semaine prochaine, je te paierai ce que tu m'as prêté, merci beaucoup !

Eh bien, même ça, ça ne l'avait pas mise de mauvaise humeur. Au contraire. Elle lui avait même dit :

– C'est super, félicitations ! Comment il s'intitule ?

– Bah, je sais pas, j'avais mis provisoirement *Le Livre des Ana*, parce que ce sont les histoires de plusieurs jeunes femmes et leurs relations amoureuses qui sont un désastre et… mais, bien sûr, c'est un titre horrible, il faut vite que j'en trouve un autre, parce qu'il part à l'imprimerie dans quelques jours.

– Appelle-le *Chronique du désamour**. Je suis sûre que ça colle bien, avait dit Soledad.

Et l'idée avait plu à sa voisine. Ce devait être une cochonnerie de livre, mais Soledad se réjouissait pour elle.

Une part de la magnanimité que Soledad éprouvait à présent devait provenir du fait d'avoir gagné la bataille de la bibliothèque. Rosa Montero avait appelé un jour pour dire qu'elle avait parlé avec l'arrière-petite-nièce d'Aznárez et que celle-ci leur prêterait pour l'exposition les textes inédits écrits par Josefina à l'asile. Il s'agissait d'un journal de plus de cinq cents pages d'une beauté bouleversante ; Soledad avait réussi à convaincre aussi bien la nièce qu'Ana Santos Aramburo, et non seulement ils disposeraient du manuscrit lors de l'exposition, mais la Bibliothèque nationale publierait également une édition spéciale du journal qui coïnciderait avec l'inauguration. Après une telle réussite, Triple A n'avait pu que soutenir Soledad. Marita Kemp, lâchée, avait démissionné. L'architecte était maintenant Ponce Díaz, un spécialiste âgé et raisonnable qui avait déjà travaillé avec Soledad à Triángulo. Et tout ça, grâce à Rosa Montero. Après tout, la journaliste n'était peut-être pas aussi stupide que ça. Au fait, le titre Écrivains excentriques n'était pas si mal. Mais elle préférait le sien.

---

* Allusion à *Crónica del desamor*, premier roman de Rosa Montero publié en 1979, qui raconte la vie d'Ana, jeune journaliste élevant seule son fils, dans le Madrid de la Transition.

Ce soir, Soledad se sentait physiquement bien, elle se sentait en forme, elle courait mieux qu'elle ne l'avait fait ces dernières semaines, ses jambes étaient des ressorts, ses pieds ne pesaient rien, son cœur n'était que rythme. Et si elle osait ? Si elle se mettait à écrire un roman ? Elle se rappela ce pétillement dans les yeux de Montero quand elle parlait de l'imagination, et elle lui envia cette joie. Pourquoi ne pas se le permettre ? Elle n'avait qu'à diminuer ses propres exigences, ses attentes. Elle n'avait qu'à se lâcher et à s'amuser. Lampedusa avait soixante ans lui aussi lorsqu'il avait publié son premier ouvrage, *Le Guépard*. Bon, pour être exact, il n'avait plus soixante ans, parce qu'il était mort pendant que le livre était chez l'imprimeur, si bien que l'ouvrage était sorti à titre posthume et ne fut pas seulement son premier roman, mais aussi le dernier. Cette partie-là, Soledad ne voulait pas l'imiter, mais Lampedusa démontrait que l'on pouvait commencer à écrire à un âge avancé. Oui, pourquoi pas ? Elle se sentit pleine d'excitation et d'audace, elle se sentit en paix avec les femmes écrivains : avec Montero, avec sa voisine Ana… Elle était alors en train de passer devant la porte de la bibliothèque du Retiro, et le destin, joueur, fit tomber son regard sur les panneaux qu'elle voyait déjà depuis plus de deux semaines et qui annonçaient une rencontre littéraire avec trois jeunes romancières, Lara Moreno, Vanessa Montfort et Nuria Labari, toutes les trois dans la trentaine, belles et bonnes romancières, toutes les trois souriantes et pleines de vie sur leurs portraits. Et un nuage noir s'abattit brusquement sur Soledad et elle les détesta, ah, comme elle les détesta, et comme elle leur envia leur jeunesse, leur beauté et leur talent. Son état de béatitude s'évapora d'un coup et la rancœur rugit à nouveau comme un tigre dans sa poitrine. Finalement, elle ne s'améliorait pas de ce côté-là. Elle laisserait le dépassement de sa jalousie des autres écrivaines pour sa prochaine réincarnation ; elle ne pouvait pas non plus tout arranger dans cette vie. Mais, au moins, elle essaierait d'écrire un roman. Ce serait une consolation, maintenant que l'amour était fini pour elle.

Le ciel était un brasier flamboyant. Elle pouvait aussi changer de prénom, pensa-t-elle ; elle pouvait raccourcir Soledad et le transformer en Sol, soleil. Un vieux soleil sur le point de s'enliser dans l'ombre comme celui qu'il y avait en ce moment dans le ciel, mais lumineux et beau malgré tout. L'air refroidissait et elle commença à ressentir un peu de fatigue.

Et, soudain, la nuit.

Non, pas déjà, s'il vous plaît, pas déjà.

Quelqu'un lui donna une petite tape sur l'épaule.

– Tu as fait tomber ça.

Un autre coureur, trottant à côté d'elle, lui tendait les clefs de chez elle.

– Mince alors, comment c'est possible ? dit Soledad en prenant le porte-clés et en tâtant la fermeture éclair dans son dos, où elle le mettait toujours : elle était ouverte et il avait dû sortir peu à peu dans sa course.

– Merci beaucoup, quelle chance, ajouta-t-elle.

Le sourire de l'homme éclaira le soir. Grand, sec, les joues dures, le nez aquilin et les yeux bleus. Tellement attirant que Soledad eut l'impression qu'une force de gravité soudaine la faisait tomber vers lui.

– De rien, dit l'homme, et il la dépassa en deux foulées.

Peut-être que le lecteur pensera que Soledad devrait se résigner, qu'il faudrait qu'elle mûrisse et qu'elle tente d'accepter son âge, comme nous le faisons pratiquement tous ; et je dois reconnaître que, dans un premier temps, elle-même pensa que cette attitude serait la plus sensée. Mais elle regarda ensuite les larges épaules du coureur, ses fesses musclées qui se tendaient rythmiquement sous ses yeux. Ah, la splendeur de la chair. Il devait avoir au moins quarante-sept ou quarante-huit ans, se dit Soledad ; c'était mieux que trente-deux. Elle sentit quelque chose remuer en elle, quelque chose d'enfantin et de sauvage. C'était l'élan aveugle de la vie, cette espérance folle et pathétique qui relevait à nouveau la tête. Sa fatigue s'était complètement envolée. Elle accéléra légèrement le pas pour ne pas le perdre.

Une demande et quelques remerciements

Cher lecteur, j'aimerais te demander un service. Et il s'agit de garder le silence. La tension narrative de ce roman repose sur l'erreur de croire que, dans la relation entre Soledad et Adam, le personnage potentiellement dangereux est le jeune prostitué russe, alors que nous voyons la commissaire en art, d'âge mûr et reconnue, comme une victime potentielle. Cependant, c'est en réalité le pauvre Adam qui, en tout état de cause, pourrait être en danger entre les mains de l'obsessionnelle Soledad. C'est pourquoi je te prie de ne pas révéler le passé harceleur de mon personnage ni le fait que c'est elle qui espionne le gigolo, car, si on le raconte, la structure, le rythme et le mystère du texte tombent à l'eau. Un grand merci.

Je voudrais remercier Berrocal, mon muse préféré, qui m'a fourni la petite anecdote dont est né ce roman. Ma chère Ana Santos Aramburo, directrice de la Bibliothèque nationale d'Espagne, m'a laissée la transformer en personnage et m'a fait des commentaires pertinents sur mon manuscrit. Les merveilleux Ana Arambarri et Jesús Marchamalo m'ont expliqué en quoi consistait le commissariat d'une exposition. L'architecte Luis de la Fuente m'a envoyé des plans et des informations sur le Santander de la fin du XIXe siècle et mon amie Malén Aznárez a eu la merveilleuse idée d'utiliser le fait divers du *Cabo Machichaco*, raison pour laquelle j'ai donné son nom à Josefina Aznárez, qui, à ce propos, est le seul personnage de toute la galerie des maudits qui soit totalement inventé et fruit de mon imagination. Tous les autres écrivains et tout ce qui est raconté à leur sujet, si extravagant que cela semble, sont la pure vérité. J'ai tiré mes informations des riches ouvrages *Escritores delincuentes* de José Ovejero (Alfaguara), *No halagaron opiniones* de Javier Memba (Huerga y Fierro) et *Desgarrados y excéntricos* de José Manuel de Prada (Seix Barral). De même, j'ai utilisé mes deux livres de biographies, *Historias de mujeres* et *Pasiones*, tous les deux chez Alfaguara, qui à leur tour s'appuient sur plusieurs dizaines d'ouvrages dont les références sont données dans mes textes.

La phrase "l'araignée au milieu de sa toile" est tirée de la note qu'a laissée la poétesse Alejandra Pizarnik lorsqu'elle s'est suicidée. Le texte original disait "Et, au beau milieu de la toile, Dieu, l'araignée" et s'inspire à son tour d'un poème de Borges. La culture est un palimpseste.

Je voudrais aussi remercier les conseils et les idées que m'ont apportés Myriam Chirousse, Juan Max Lacruz, Antonio Sarabia, José Manuel Fajardo, Carme Riera, Maitena Burundarena, Enrique de Hériz et Carlos Franz. M'ont encouragée et aidée Isabel Oliart, Gabriela Cañas, Marina Carretero, Lorena Vargas Tortosa, Alejandro Gándara, et Nuria Labari. Mes remerciements tout particuliers à Pilar Reyes, qui est une merveilleuse éditrice. Et, bien entendu, à M. B., qui m'a généreusement et intelligemment parlé de son métier.

Cet ouvrage a été imprimé par CPI France
en novembre 2016

Cet ouvrage a été composé par
FACOMPO
à Lisieux (Calvados)

N° d'édition : 2230001 – N° d'impression : 138046
Dépôt légal : janvier 2017

Imprimé en France